知識ゼロから
2時間でわかる&使える!

ChatGPT
見るだけノート

監修
松村雄太
Yuta Matsumura

宝島社

ChatGPT
見るだけノート

監修 | 松村雄太 | Yuta Matsumura

宝島社

はじめに

人間の発想を豊かにする
ChatGPT を使いこなそう！

本書『ChatGPT見るだけノート』をご覧いただきありがとうございます。ChatGPTは世間で超話題のAIツールです。誰でも簡単に、「数時間かかっていた作業をほんの数分で終えられた！」という感動的な体験ができるツールです。これはChatGPTに触れたことがある人にとっては当たり前の話です。

今、本書をご覧いただいているあなたは、「ChatGPTってよく聞くけどいったいどんなものかわからない……」「ChatGPTを実際使ってみたけどもっと上手に活用したい」と思っているかもしれません。

まず、ChatGPTを全く使ったことがない方へ。安心してください。LINEなどのSNSが使えるくらいスマホやPCを操作できるなら、あなたも難なくChatGPTを使えるようになります。本書があれば、仕事や日常生活でスムーズにChatGPTを利用できます。

次に、ChatGPTをもっと上手に活用したい方へ。あなたはとてもいい本を選びました。本書にはまだChatGPTにあまり慣れていない方でも無理なく役立てられる、実践的なトピックが豊富に掲

載されています。ぜひ興味のあるところから見て、そして実践してみてください。あなたの世界が広がることでしょう。

「AI」と聞くと、「仕事を奪われる」と心配する人がいます。もちろん、AIの急速な発展によってなくなる仕事もあるでしょう。例えば、ChatGPTによって、誰でも書けるような文章を人間が書く必要はなくなっていきます。それは、自動車ができて馬車に乗る必要がなくなったのと同じようなことです。

せっかく本書をご覧いただいているあなたには、AIに仕事を奪われると怯える側の人ではなく、AIを使いこなす側の人になっていただきたく思います。現状、ChatGPTをはじめとする便利なAIツールはあくまでも「ツール」です。人間が上手に活用してあげることで初めて価値が出ます。

そして、ツールは人間の発想を豊かにします。ChatGPTを使ってテキストで会話ができるなら、カウンセリングもしてくれるんじゃないか、いいアイデアを考えてくれるんじゃないか、それをちゃんとした文章にまとめてくれるんじゃないか、といろいろな発想が浮かんできます。

このように人間の発想力を活性化させるのも、ChatGPTをはじめとするツールを使ってみることの大きな意義だと私は感じます。ぜひChatGPTを相棒に、新しいことに楽しく挑戦してみましょう！

松村雄太

ChatGPTで
世の中はどう変わる?

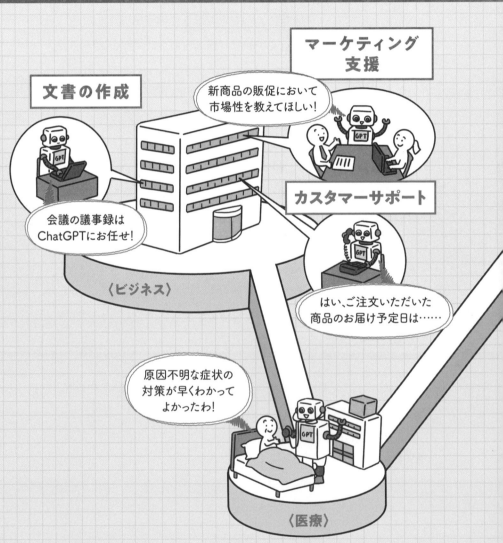

マーケティング支援

文書の作成

新商品の販促において市場性を教えてほしい!

会議の議事録はChatGPTにお任せ!

カスタマーサポート

〈ビジネス〉

はい、ご注文いただいた商品のお届け予定日は……

原因不明な症状の対策が早くわかってよかったわ!

〈医療〉

AI 技術の進化により、世界は大きく変わる可能性があります。ビジネスでは、AI チャットボットや自動化によって、カスタマーサービスや文書作成などの業務効率向上、マーケティング戦略の強化が期待されます。医療分野では診断や治療の支援、個別の健康管理が進み、教育では学習や研究のサポートに活用されることが当たり前になるでしょう。また、クリエイティブな制作や日常の情報検索にも AI の活用が一般的になり、新しい AI の時代がやって来ています。

ChatGPTをめぐる世界の論争

「産業全体が（OpenAIが開発したChatGPTなどの）AIを中心に方向転換するだろう。企業はその使い方で、差別化を図ることができる。」（本人のブログ記事より）

「ChatGPTはAIがiPhone（ほど世界を変える製品）になった瞬間だ。」（大学での講演にて）

「（AIが人間の知能を超える）シンギュラリティがとうとう来たかという感覚だ。」

「和製GPTを立ち上げるべきだ。」（決算会見にて）

ジェンスン・フアン
米エヌビディア CEO

ビル・ゲイツ
マイクロソフト 創業者

宮川潤一
ソフトバンク 社長

ポジティブ

ChatGPTなどの対話型AIに対して、世界中の企業やビジネスパーソンの間で賛否両論が広がっています。賛成派としては、ビル・ゲイツやジェンスン・フアン、ソフトバンクの宮川潤一社長などが、ChatGPTの導入に前向きな姿勢を示しています。一方、イーロン・マスクやアービンド・クリシュナ、ジェフリー・ヒントンらは、ChatGPTのようなAIによる社会的影響や危険性を懸念しています。この論争から、対話型AIが私たちの社会を着実に大きく変えようとしていることがわかります。

知識ゼロから
2時間でわかる＆使える！

ChatGPT
見るだけノート
Contents

Chapter1
まずは
知っておきたい
ChatGPTの基本

Chapter4
実践してみよう!
基本の
文章作成術

Chapter5
ビジネスで使える
ChatGPT の
有効活用術

Chapter6
さらに使いこなす
拡張機能を使った
時短術

Chapter7
副業で使える！
ブログ・SNS・
YouTube の
活用術

Chapter8
日常で使える!
ChatGPT の
楽しい使い方

1 Chapter

ChatGPT
mirudake notes

まずは知っておきたい
ChatGPTの基本

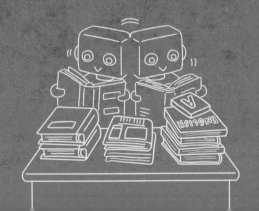

ChatGPT をはじめる前に、ChatGPT のしくみや業界について理解しておきましょう。なぜ ChatGPT が注目されているのか、自然言語処理のしくみはどのようになっているのか、ChatGPT を開発した OpenAI はどういった企業なのか、この章では基本を解説します。

01 AI と人間が自然に会話できるチャットサービス

2022 年 11 月の登場直後から爆発的なスピードで世の中に広がり続けています。なぜ、支持されているのでしょうか？

ChatGPT はアメリカの OpenAI 社が開発した対話型 AI で、2022 年 11 月に登場しました。GPT は「Generative Pre-trained Transformer」の略で、あえて日本語にすると「生成的な事前訓練を行った変成器」という意味です。**人間が文章で指示や質問を入力すると、それに回答する形で自動的に文章を生成する AI チャットボット**なのです。

100万ユーザーを獲得した期間は？

ChatGPTは代表的なほかのオンラインサービスと比べると、非常に短い期間で100万ユーザーを獲得したことがわかりますね！

※ 2023 年 6 月の時点　データ引用：「100 万ユーザ獲得にかかった時間」(Statista)

ChatGPTはこれまでのAIと比べて、非常に自然な文章を生成することができるようになりました。そのため、登場直後から世界中で爆発的な人気を獲得しました。自然なコミュニケーションが実現した背景には、**GPT-3.5**という大規模言語モデルによって実現した、膨大なテキストデータからの学習が存在します。なお、対話型AIとしてはほかにBingなどがあります。

日本語でAIとの自然な対話ができる

GT　休日の過ごし方を提案してください。

休日の過ごし方は人それぞれ好みや興味によって異なりますが、以下にいくつかの提案をさせていただきます。あなたの好みや状況に合わせてアレンジしてみてください。

1. 自然に触れる:近くの公園や自然保護区などに散歩に行ったり、ハイキングやサイクリングなどのアウトドア活動を楽しむのは良い選択です。新しい場所を探索してみたり、自然の美しさに身を浸してリフレッシュすることができます。
2. 趣味に没頭する:自分の趣味や興味があることに時間を費やすのも素晴らしい方法です。絵を描く、音楽を奏でる、読書する、料理をするなど、自分の才能や創造力を発揮することで充実感を得ることができます。
3. 家族や友人と過ごす:休日は家族や友人と一緒に過ごす ～ベキューを計画したり、映画を観たり、ゲームをしたり～ 有することができます。
4. 学びと成長:新しいスキルを学ぶために休日を活用するのも良いアイデアです。オンラインのコースやチュートリアルを利用して、興味のある分野について学ぶことができます。ま

> さまざまなテーマで
> ChatGPTと会話することが
> できます。

GT　仕事でミスをしてしまいました。取引先に送る謝罪メールの文面を考えてください。

件名:重要:誤りについてのお詫びと訂正

拝啓、[取引先の氏名/部署名]様

私、[お名前]は、[会社名]の[役職]として、この度は大変心苦しく思う出来事が発生しましたことをお知らせいたします。ご一読いただき、深くお詫び申し上げます。

先日の[取引/プロジェクト/イベント]において、私たちのミスにより重大な誤りが生じました。私どもの不注意により、[誤った情報/遅延/品質問題]などが発生いたしましたこと、心よりお詫び申し上げます。

> 英語だけでなく、日本語を含めて多様な言語に対応している。特別な知識がなくても、簡単に利用可能だ。

たことは、私たちの責任ですし、ご信頼を損なうこととな
引先様にとっても、迅速かつ正確な対応が求められる重要
認識しております。私たちは、一刻も早い対応と解決策の提供

ChatGPTで できることは？

人間との自然な対話が可能な ChatGPT は使い方によって、 多くのシーンで活躍させることができます。

ChatGPT はさまざまな目的で活用することができます。 まず、ユーザーのあらゆる質問に答えてくれます。ただし、事実と違う回答をすることもあるので、ファクトチェックも必要となります。資料を作成するためのサポートでも活用できます。多くの言語に対応しているので、**翻訳**もできます。長い文章を短く**要約**することもできます。

多岐にわたる能力

読解

ふむふむ。

膨大で複雑な内容の文章や情報を、驚異的なスピードで読み込むことができる。多言語対応のため、翻訳も可能。

要約

なるほど！ありがとう！

文章を簡易的に要約したり、情報を分析したり、分類やタグ付けをすることができる。

小説、脚本、詩などのクリエイティブな文章を生成することもできます。プログラミングも得意で、コードの提案などもしてくれます。Excel の関数も書けるので、Excel を使った作業のときも役立ちます。**データ分析**をしたり、アイデアを生み出してくれるので、ビジネスでの戦略を立てたり、**企画**を考えるときにも大いに役立ちます。

ビジネスで使える文章などが書けたり、自然な対話ができるので、ユーザーの代わりにメールも書いてくれたりします。さまざまな分野でChatGPTは助けてくれますね!

文章作成

これ修正してくれる?

わかりました!

資料や企画書、メール、原稿などのさまざまな文書の自動生成や、文章の校正・添削ができる。

対話

どうしよう……!

大丈夫!

自然な会話のチャットができる。仕事や人生、あらゆる場面での相談相手や相棒として活用できる。

03 どうして人間のように 自然な対話ができるの？

ChatGPT はディープラーニングで学習することで、まるで人と対話しているかのように言語を操れるようになりました。

ChatGPT は**ディープラーニング**（深層学習）によって性能を向上させて、自然な対話ができるようになりました。ディープラーニングとは、人間の脳の神経細胞をモデルにした学習方法です。**ディープラーニングで AI がデータを多層的に分析することで、複雑な情報にも対応できるようになりました。**その結果、データの分析精度を高めることが可能になったのです。

ディープラーニングで多層的にデータを分析

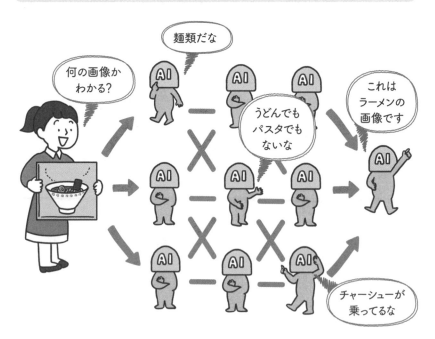

AI がデータを多層的に分析する学習方法が、ディープラーニングです。言語以外に画像や音声の認識で活用されています。

ディープラーニングは、**自然言語処理**も進化させました。自然言語とは人間が普段使っている言葉のことで、自然言語処理はコンピュータに人間の言葉を処理させるための技術です。**自然言語処理によって、AIはある単語の次にどういう単語が来るのが自然なのかを学び、違和感のない文章を生成できるようになったのです。**

続く可能性が高い単語を選択

ディープラーニングの一種である自然言語処理によって、ChatGPTはある単語の次に来る可能性が高い単語を見つけ、自然な文章を生成します。

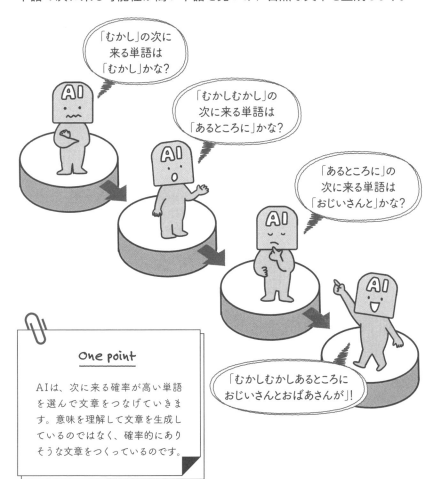

04 これまでのAIや 対話型AIとどこが違う？

ChatGPTの登場前にも文章を扱うAIや対話型AIは存在しました。それらの従来のAIとはどこが違ったのでしょうか？

これまでも言語を扱うAIは存在しました。そういったAIは、テキストの中から必要な要素を抜き出してくるような機能を持っていました。例えば、企業の決算のニュースから売上の情報を抜き出して、テキストとして要約することなどができました。一方、**ChatGPTは要約だけでなく、新しい要素を付け加えた文章を生成することができます。**

従来のAIが行うのは、抽出と要約だけだった

これまでのAIは与えられた文章の抽出・要約はできましたが、それをもとに新しい文章をつくり出すことはできませんでした。

また、1960年代には、ELIZA（イライザ）というチャットボットが登場し、それが現代の対話型AIの元祖となりました。現在では多くの家庭で**Siri**などの対話型AIが利用されています。これらの対話型AIは、あらかじめプログラムされたルールやパターンに基づいて質問に回答します。しかし、想定外の質問や文脈に対しては、適切な回答ができない場合もありました。一方、ChatGPTはこれらのAIとは異なり、自然言語処理と機械学習の技術を組み合わせています。ChatGPTは大量のテキストデータを学習し、それをもとに質問に対する回答を生成します。事前に用意されたテンプレートや答えを返すのではなく、新たに文章を生成して回答します。そのため、ChatGPTは想定外の質問にも対応することができるのです。

従来のAIは用意された答えを返していた

従来の対話型AIは最近のSiriであっても、用意された形式に従って回答していました。ChatGPTはその場で回答を生成するので、想定外の質問にも答えられます。

05 ChatGPTの できないことや苦手なこと

「何にでも答えてくれる」と思われがちな ChatGPT ですが、
得意でない分野も数多く存在しています。

AI は複雑な**計算**が得意というイメージを持たれがちですが、**ChatGPT が
利用する GPT-3.5 は言語モデルなので、計算は苦手です。** そこまで複雑で
ない足し算、掛け算、割り算でも計算を間違えることがあります。また、言
語モデルを使って文章を組み立てているだけなので、**論理的な推論**ができる
という期待はしないほうがいいでしょう。

計算問題を間違えることも多い

計算をいつでも間違えるわけではありませんが、小学生レベルの計算でも
間違えてしまうことがあります。

ChatGPTは、検索エンジンの代わりとして利用する人もいる一方で、その情報には限界があります。なぜなら、**ChatGPT（無料版）の知識は2022年1月までのものに限られており、ChatGPTによる回答では、正確な情報が得られないことが多いためです。**特に、時事的なトピックや最新の研究結果などについては、限定的な知識しか持っていないため、信頼性の高い情報を提供することができません。また、ChatGPTは人間のような理解力や判断力を持っていないため、回答に誤りや嘘が含まれることもあります。機械学習モデルは、学習データに基づいてパターンや傾向を学習するため、時には誤った情報を生成する可能性があるのです。そのため、ChatGPTと対話する際には、ユーザー自身が**ファクトチェック**を行うことが重要です。

検索エンジンのようには使えない

最新の情報を把握しておらず、回答に誤情報が混じることもあるので、ChatGPTは検索エンジン代わりにはなりません。

06 ChatGPT はどのように リリースされたのか

ChatGPT 登場以前にも文章生成 AI は存在しました。どういう流れで ChatGPT が登場したのでしょうか?

2022 年 11 月の ChatGPT 登場以前も、文章生成 AI は開発されていました。
2017 年には、当時、この分野で先行していた Google が、大規模言語モデル（LLM）の **Transformer** を開発します。後に ChatGPT を手がけることになる OpenAI は 2018 年に言語モデル GPT-1 を発表して、大きな注目を集めました。同年、Google は Transformer をベースに BERT を開発します。

進化し続けている GPT シリーズ

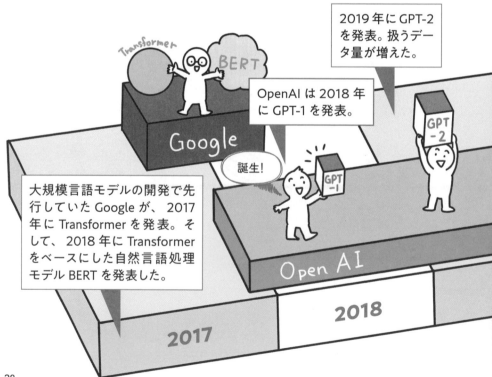

2019 年に GPT-2 を発表。扱うデータ量が増えた。

OpenAI は 2018 年に GPT-1 を発表。

誕生!

大規模言語モデルの開発で先行していた Google が、 2017 年に Transformer を発表。そして、 2018 年に Transformer をベースにした自然言語処理モデル BERT を発表した。

その後、2019年2月にGPT-2、2020年6月にGPT-3が発表されます。**GPT-2は言語生成の精度が高く、GPT-3では言語処理能力がさらに向上。**この性能により、GPT-3は多くのアプリで活用されました。そして、2022年11月にChatGPTが公開されます。ChatGPTはGPT-3.5を搭載していますが、現在、有料版のChatGPTは2023年3月発表の**GPT-4**を利用しています。

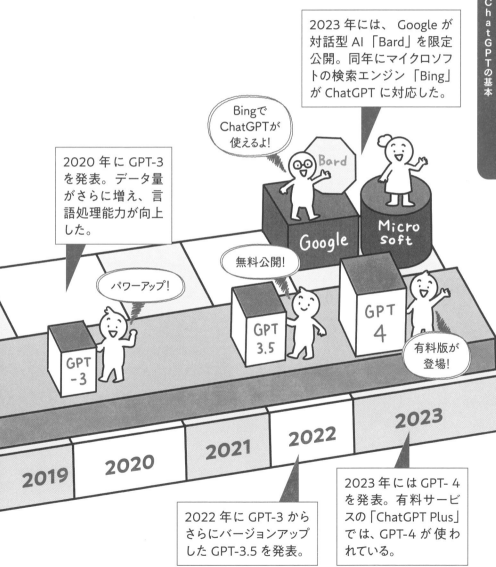

2023年には、Googleが対話型AI「Bard」を限定公開。同年にマイクロソフトの検索エンジン「Bing」がChatGPTに対応した。

BingでChatGPTが使えるよ!

2020年にGPT-3を発表。データ量がさらに増え、言語処理能力が向上した。

パワーアップ!

無料公開!

有料版が登場!

2022年にGPT-3からさらにバージョンアップしたGPT-3.5を発表。

2023年にはGPT-4を発表。有料サービスの「ChatGPT Plus」では、GPT-4が使われている。

そもそもOpenAIとは
どういう会社？

ChatGPTで世界中の注目を集めているOpenAIとは、どういう組織で、どういうサービスを手がけているのでしょうか？

ChatGPTを開発した**OpenAI**はAIの研究や開発を目的とした非営利団体です。2015年にサム・アルトマン、イーロン・マスク、ピーター・ティールなどの有名投資家たちが設立しました。組織の構造としては非営利の研究機関のOpenAI Inc.の下に子会社として営利法人のOpenAI LPが置かれています（OpenAI LPは2019年に設立されました）。

有名投資家たちが設立した

サム・アルトマン、イーロン・マスク、ピーター・ティールらが設立しました。

OpenAI Inc.は非営利の研究組織ですが、営利企業OpenAI LPの株を所有しています。

OpenAIは、ChatGPTの開発に加えて、さまざまなAIサービスとプロジェクトに取り組んでいます。その一環として、以下のサービスがあります。**DALL-E**（ダリー）は、画像生成のためのAIモデルです。テキストの説明に基づいて非現実的な画像を生成することができます。**Whisper**（ウィスパー）という音声認識と機械翻訳のプロジェクトは、音声データをテキストに変換したり、テキストを別の言語に翻訳したりすることができます。ほかにも、**Point-E**（ポイントイー）というサービスがあり、3Dモデル生成のプロジェクトとして、2D画像やスケッチを入力として、リアルな3Dモデルに変換することが可能です。さらに、OpenAIは自動車の自動運転システムの開発にも取り組んでいます。

ChatGPT以外のAIも開発している

OpenAIは文章生成のChatGPT以外に、画像生成のDALL-E、音声認識のWhisper、 3D生成のPoint-Eなどを開発しています。

画像生成

音声認識

3D生成

one point

OpenAI設立者のサム・アルトマンは、ワールドコインというプロジェクトを手がけています。これはユニークな個人に仮想通貨を配布するプロジェクトで、大きな注目を集め、約160億円もの資金を調達しています。

生成AI市場は どうなっている？

さらなる成長が期待されている生成AI市場のトップの位置を占めているのは、OpenAIを含めた3社です。

生成AIの市場は今後も成長が見込まれています。OpenAIだけでなく、多くの企業で開発が進み、競争はますます加速することでしょう。現在、生成AIでトップに立っているのはOpenAI、**マイクロソフト**、**エヌビディア**です。**OpenAIは開発を手がけ、マイクロソフトはプラットフォーマーとしての役割を担い、エヌビディアはAIに必要な半導体のメーカーです。**

生成AI市場を支配するトップ3社

現在の生成AI市場のトップ企業は、OpenAI、マイクロソフト、エヌビディアです。

プラットフォーマー

マイクロソフトは自社のサービスにGPTを組み込んでいます。また、エヌビディアとも提携しています。

半導体

提携

出資

Microsoft

生成AI開発

NVIDIA

Open AI

エヌビディアは半導体市場で圧倒的なシェアを握っています。

OpenAIは2019年にマイクロソフトと提携を結び、同社からの出資を受け入れました。

マイクロソフトは OpenAI に出資しているほか、エヌビディアとも提携しています。つまり、**現状の生成 AI 業界はガッチリと手を結んだ3社が支配している**といえます。これに対抗できるのは、Google の親会社である**アルファベット**、**メタ**・プラットフォーム（旧フェイスブック）でしょう。両社は、独自に大規模言語モデルの開発を行い、生成 AI の導入を急いでいます。

トップ3社に対抗するのはGoogle？

Google の親会社アルファベットは大規模言語モデルを開発し、検索対話型 AI の Bard も公開。イギリスの AI 開発企業 DeepMind も買収しています。

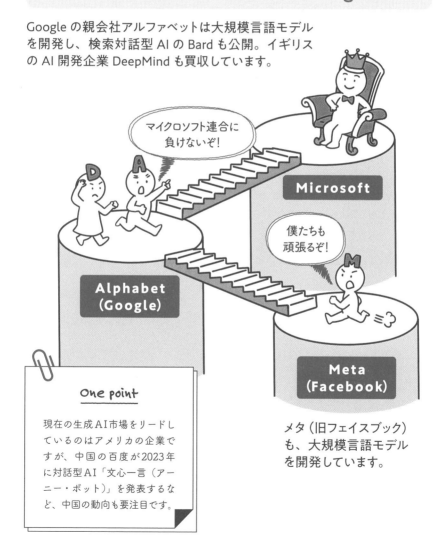

One point

現在の生成 AI 市場をリードしているのはアメリカの企業ですが、中国の百度が2023年に対話型 AI「文心一言（アーニー・ボット）」を発表するなど、中国の動向も要注目です。

メタ（旧フェイスブック）も、大規模言語モデルを開発しています。

覚えておきたい
ChatGPTの必須ワード①

ChatGPTを理解するうえで知っておきたい
言葉と意味について紹介します。

☑KEY WORD

AI

AI（人工知能）は、コンピュータシステムが人間のように考えることができる技術です。たくさんのデータを学習し、問題を解決する能力を持ちます。私たちの生活に大きな影響を与えていますが、倫理的な問題にも注意が必要です。

☑KEY WORD

大規模言語モデル

人工知能のプログラムであり、大量のテキストデータから学習し、自然な文章生成ができるモデルです。機械翻訳や質問応答などに応用され、文書作業の支援にも役立ちます。ただし、情報の正確性や個人情報の保護などの課題もあります。

☑KEY WORD

自然言語処理（NLP）

コンピュータが人間の言語を理解し、処理するための技術です。NLPはテキストデータの解析、意味の理解、文法の解釈、文章生成などのタスクに応用されます。機械翻訳や音声認識、感情分析など、多岐にわたる可能性があります。

Transformer モデル

Transformer モデルは、AI の一種で、自然言語処理や機械翻訳などのタスク
に広く使用されています。単語や文のつながりを考慮するための特別なしくみが
あり、より深いネットワークと大規模なデータセットの学習が可能です。

ファインチューニング

機械学習の手法の1つで、既存の学習済みモデルを自分のタスクに適用する方
法です。例えば、さまざまな写真を見て学習したモデルがあった場合、それをも
とに新しい写真の内容を分類したりします。

ディープラーニング

コンピュータが大量のデータから学習して、予測や問題解決を行う方法です。複
数の層を持つニューラルネットワークを使い、パターンや特徴を見つけます。画
像認識や音声認識などに使われ、私たちの役に立つ技術です。

ニューラルネットワーク

数学的なモデルで、データを受け取って計算するしくみです。脳の働きを模倣し、
データのパターンや関連性を学ぶことができます。画像や音声の認識などに利用
され、AI の一部となっています。

Chapter

2

ChatGPT
mirudake notes

すぐできる!
ChatGPTの
はじめ方

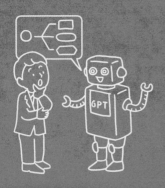

さっそく ChatGPT をインストールしてみましょう。この章では、アカウントの登録方法や、スマートフォンでのアプリや LINE での使い方など、基本的なはじめ方を説明します。有料版についてや、使用上の注意点なども詳しく解説します。

01 公式サイトで アカウントを登録する

まずは ChatGPT のアカウントを登録しましょう。ここでは
登録方法についてわかりやすく解説します。

ChatGPT を利用するには、まず公式サイトで**アカウントの登録**が必要です。
その際、**メールアドレスと SMS（ショートメッセージ）の受信可能な電話番号
が必要**ですので、あらかじめ準備しておきましょう。登録が完了すればすぐ
に ChatGPT を使えるようになります。有料版もありますが、日常的に使う
分には、無料版で問題ないでしょう。

ChatGPTの登録手順

❶ OpenAIのウェブサイトにアクセス （https://openai.com）

同サイト画面の
右上の「Sign UP」を
クリックしてもOK。
次に同じ画面が
出てきます。

❷ Sign upをクリック

Welcome to ChatGPT

Log in with your OpenAI account to continue

Log in   Sign up

❸ メールアドレスを入力

Create your account

Note that phone verification may be required for
signup. Your number will only be used to verify
your identity for security purposes.

Email address

Continue

Already have an account? Log in

——— OR ———

G   Continue with Google

▦   Continue with Microsoft Account

🍎   Continue with Apple

GoogleやMicrosoft、Appleの
アカウントをすでに持っている人は、
❸のとき「Continue with Google」
「Continue with Microsoft Account」
「Continue with Apple」をクリックすると
スムーズに登録できるよ。

❹ パスワードを入力

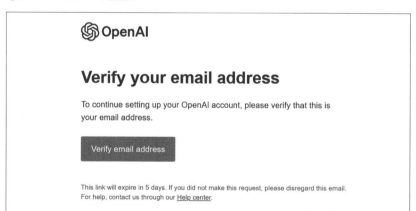

❺ メールアドレスの認証

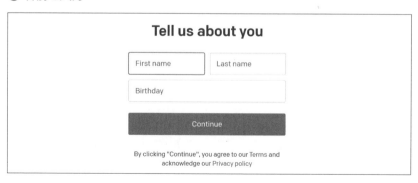

❻ 名前を入力

❼ 電話番号を入力

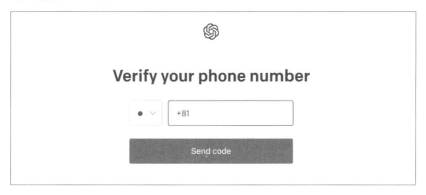

❽ 届いたコードを入力

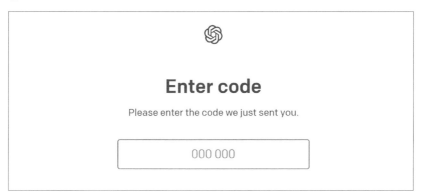

❾ 登録完了

ChatGPTで会話をはじめる

ChatGPTのアカウントを登録したら、すぐに会話をはじめてみましょう。ここでは、基本的な操作方法を紹介します。

通常のチャットと同じく、ChatGPTの基本的な使い方は、質問を入力していくだけです。ChatGPTでは**質問を「プロンプト」といい、適切なプロンプトを入力することで、より正確な回答を得ることができます。** 話題を変えたい場合は新しいチャットを開始します。過去のチャットは保存されているため、以前のチャットを続きからはじめることも可能です。

質問を入力してみよう

❶ プロンプトの入力

ページの下部にあるテキストボックスに、プロンプトのテキストを入力。完了したら「紙飛行機」のアイコンをクリックする。

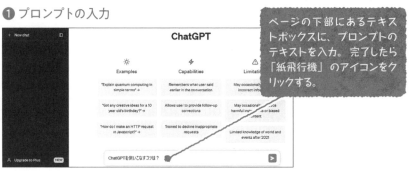

❷ 回答の表示

ChatGPTが回答を生成する。別の回答がほしい場合は、下部にある「Regenerate response」をクリックする。

そのほかの基本の使い方

ー

2
すぐできる！ChatGPTのはじめ方

❶ さらに質問を続ける

6. 良いフィードバックを提供する：ChatGPTは学習ベースのAIであり、フィードバックを受け取ることで成長します。回答が適切であった場合も、不適切であった場合も、フィードバックを提供してください。

7. ツールの制約を理解する：ChatGPTには限界があります。個人情報を含むプライバシーに関わる情報の提供や、違法行為の助長などは避けるようにしましょう。

8. 複数回の対話を活用する：ChatGPTは前回の対話内容を覚えていないため、複数回の対話を通じてコンテキストを共有すると、より有益な対話ができる場合があります。

これらのコツを覚えて、ChatGPTをより効果的に活用できるようにしてください。ただし、AIモデルの〔…〕解し、適切に使い分けることも大切です。

Continue 　　　🔄 Regenerate response

もっとわかりやすく教えてください。

> 連続してプロンプトを入力することができ、話題に沿った回答が表示される。テキストボックスにプロンプトを入力すると回答が生成される。

❷ 回答を止める

もっとわかりやすく教えてください。

もちろんです！ChatGPTを使いこなすための簡単なポイントをまとめます。

1. 具体的な質問や指示を与えることが大切です。曖昧な質問では、モデルが適切な回答を出力するのが難しくなります。
2. 必要な場合は、モデルに具体的な指示を出すことができます。要約

< 3/3 >

□ Stop generating

> ほしい回答が得られなかったり、途中で回答を止めたりしたいときは、下部の「Stop generating」をクリック。

❸ 新しいチャットをはじめる

> ChatGPTは会話の内容を覚えているため、違う話題で会話を続けると不自然な回答が生成されることがある。その場合は、新しいチャットをつくって会話をしよう。

43

03 スマートフォンで ChatGPT を使う

ChatGPT は、パソコンだけでなく、スマートフォンでも使用することができます。

スマートフォンで ChatGPT を使用するには2通りのやり方があり、1つは **Web ブラウザ**を利用するという方法があります。もう1つは、2023年5月26日に公表された ChatGPT の iOS 向け公式アプリの利用です。**ブラウザで使用する場合、アカウントの登録方法やチャットのやり方は PC 上の操作とほぼ変わりません。**ブラウザアプリとして使えば、十分手軽に利用可能です。

webブラウザを使ったやり方

❶ 公式サイトにアクセス

Sign upをタップ。

❷ メールアドレスを入力

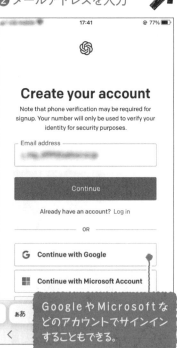

GoogleやMicrosoftなどのアカウントでサインインすることもできる。

❸ パスワードを入力

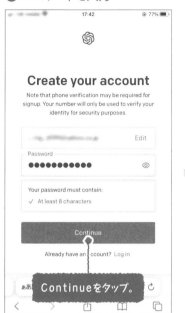

Continueをタップ。

❹ 確認メールが送信される

登録したアドレスに確認メールが送信される。メールをチェックする。

❺ ユーザー名を入力

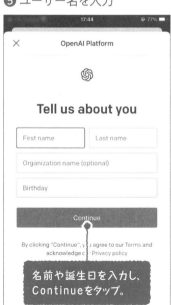

名前や誕生日を入力し、Continueをタップ。

❻ 電話番号を入力

SMSが受信できる電話番号を入力し、Send codeをタップ。

❼ 認証コードが送信される

電話番号に認証コードが
送信された。

❽ 認証コードを受信

SMSの画面を開き、認証コー
ドを確認する。コードをコピー
して、7の認証コード画面に
ペーストする。

❾ 注意事項が表示

注意事項などが数回表示され
る。Nextをタップし、最後
にDoneをタップ。

❿ 登録完了

スマートフォン上で
ChatGPTが使用で
きるようになった。

そのほかの機能について

■ メニュー画面

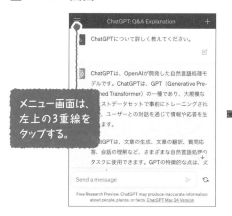

メニュー画面は、左上の3重線をタップする。

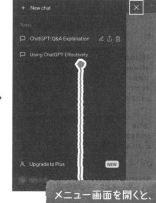

メニュー画面を開くと、過去の新しいチャットをはじめたり、過去のチャット履歴を見たりすることができる。

■ それぞれの機能

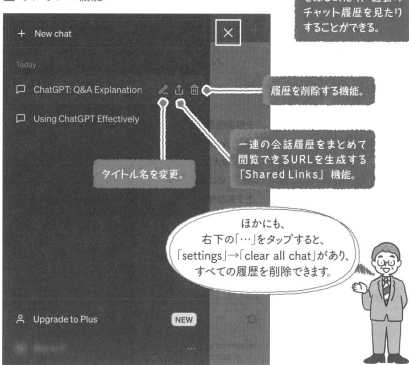

履歴を削除する機能。

一連の会話履歴をまとめて閲覧できるURLを生成する「Shared Links」機能。

タイトル名を変更。

ほかにも、右下の「…」をタップすると、「settings」→「clear all chat」があり、すべての履歴を削除できます。

04
ChatGPTの
iOS版アプリを使う

ChatGPTの公式アプリが日本でもリリースされました。日常的に使う場合はアプリをインストールしておくと便利でしょう。

2023年5月26日、ChatGPTの**公式アプリ**が日本でも利用可能になりました。アプリはWeb版と同じく無料で使用可能です。**現在はiOS版のみですが、Androidアプリも間もなく提供を開始する予定です（※2023年7月から利用可能に）。** ChatGPTアプリはほかにも存在し、似たようなロゴや名前の**偽物アプリ**があるため、間違ってそれらをダウンロードしないよう注意が必要です。

アプリでアカウント登録

❶ アプリを開く

ChatGPTのアプリをインストールしたら、アプリを開く。AppleかGoogleのアカウントを使用するか、メールでの登録を選ぶ。

❷ メールアドレス

「Email address」にメールアドレスを入力して、「次へ」をタップ。

❸ パスワードの入力

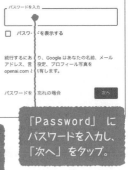

「Password」にパスワードを入力し、「次へ」をタップ。

Appleや Googleのアカウントで登録した場合は、名前や電話番号、認証コードの入力が省かれ、このまま登録完了です！

ChatGPTアプリの使い方

❶ チャットをはじめる

下部にあるテキストボックスにプロンプトを入力。「飛行機」アイコンをタップ。

❷ 回答

ChatGPTによる回答が表示される。PC版と同じく、続けてプロンプトを入力することができる。

❸ メニュー画面

右上の「…」をタップすると、メニュー画面が開く。ここではタイトル名を変更したり、履歴を消したり、PC版と同じ作業が可能。

❹ 音声でプロンプト入力

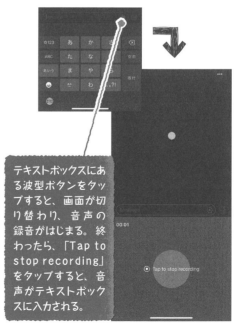

テキストボックスにある波型ボタンをタップすると、画面が切り替わり、音声の録音がはじまる。終わったら、「Tap to stop recording」をタップすると、音声がテキストボックスに入力される。

05 LINE で気軽に ChatGPT を使う

LINE 上で ChatGPT を使える「AI チャットくん」。気軽に AI と話すことができるため、AI 初心者にぴったりです。

ChatGPT に関心はあるけれど、英語の Web サイトでのアカウント登録は面倒くさそう……、とはじめられない人におすすめなのが、LINE で ChatGPT を体験できる「**AI チャットくん**」です。**友だち登録をするだけで簡単に ChatGPT を利用することができます。** ただし、無料で利用できるのは、1日5回までと制限があり、それ以上使いたい場合は有料となります。

「AIチャットくん」の使い方

■LINEでの登録方法

❶「友だち追加」をタップ

LINEアプリのホームボタンを開き、右上の友だち追加のアイコンをタップ。

❷「QRコード」をタップ

「友だち追加」の画面が表示され、真ん中の「QRコード」をタップ。カメラを起動したら、下の「AIチャットくん」のQRコードを読み込む。

右のQRコードを読み取るだけで、「友だち追加」の画面が表示されます!

AIチャットくん

❸ リンクをタップ

❹ 友だち追加をする

QRコードを読み込むと、上部にリンクが表示され、それをタップする。

友だち登録をしたら早速会話をはじめてみましょう!

「友だち追加」のアイコンをタップしたら登録完了。

■ チャットをはじめる

❶ トーク画面を開く

❷ 質問を入力

❸ 回答が届く

登録したAIチャットくんのトーク画面を開き、下部の項目のいずれかをタップ。

トーク画面が表示され、質問を入力する。入力したら「飛行機」アイコンをタップ。

送信したら、数秒後にAIチャットくんから返信が届く。

仕事や人間関係、人生などの悩みを相談することもできます。

06 無料版と有料版の 大きな違いは？

ChatGPT は誰でも無料で使えますが、有料版に加入すれば さらに効率よく ChatGPT を使いこなすことができます。

2023 年 2 月 1 日に、有料版の「ChatGPT Plus」がリリースされました。**大規模言語モデルが GPT-3.5 から GPT-4 にグレードアップし**、無料版よりさらに賢くなった AI モデルを使用することができます。有料版は無料版より正確な回答を生成する確率が高く、新しいアイデアを提案する創造性や、有害な情報を生成しない安全性も向上し、安心して利用することができます。

GPT-3.5 と GPT-4 の性能の違い

GPT-3.5 と GPT-4 との性能の差は、主にパラメータ数の差によるといわれています。パラメータ数が増えるほど、AI の精度も向上し、GPT-4 は GPT-3.5 と比べて約 100 兆個という桁違いに多いパラメータ数を持っています。

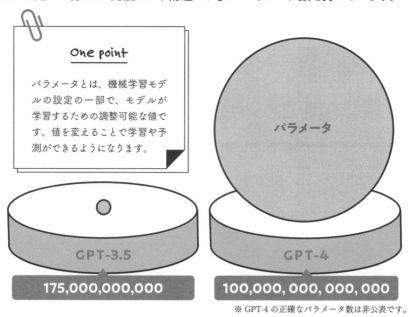

One point

パラメータとは、機械学習モデルの設定の一部で、モデルが学習するための調整可能な値です。値を変えることで学習や予測ができるようになります。

パラメータ

GPT-3.5
175,000,000,000

GPT-4
100,000,000,000,000

※ GPT-4 の正確なパラメータ数は非公表です。

無料版でも十分に使うことができますが、**有料版は無料版より高速な応答が可能で、アクセスが集中するピークタイムでも利用することができます。** ChatGPT を頻繁に使う人や、ライティングやコンテンツ制作で高度な自然言語処理技術を活用したい人は有料版がおすすめです。「少し使ってみたい」と思う程度であれば、無料版で問題ないでしょう。

精度が大幅にアップした「GPT-4」

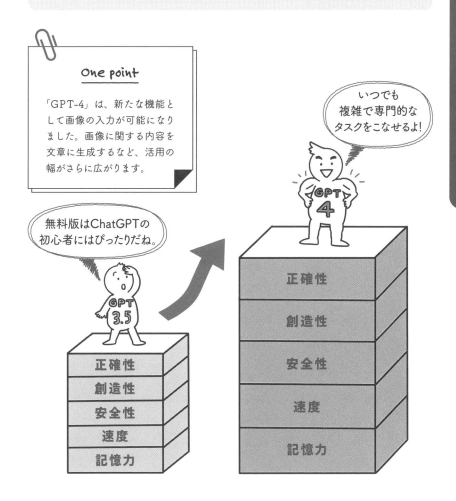

有料版の「GPT-4」は、無料版に比べて、回答の正確性、創造性、安全性、応答の速度が向上し、メモリ容量が増えたことで記憶力も拡張しました。

07 これはNG！ 覚えておきたい使うときの注意点

どんな質問にも答えてくれる ChatGPT ですが、利用時にはいくつかの注意点があります。はじめる前に知っておきましょう。

ChatGPT には**苦手なことやしてはいけないことがあります。** まず、計算があまり得意ではありません。桁数が多い計算や、高度な計算式の問題は不正確な結果が出る可能性があります。また、ChatGPT はリアルタイムの情報や地域性の高い情報を提供することができません。回答には 2022 年 1 月までの情報が利用されているため、検索エンジンで調べたほうがいいでしょう。

ChatGPT が苦手なこと

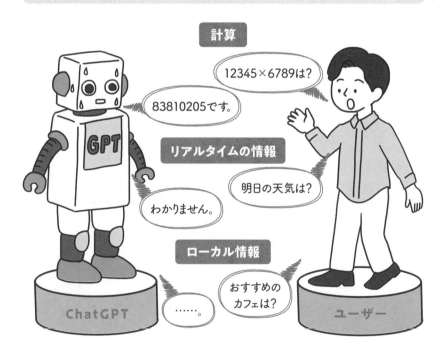

そして、注意したいのが、**ChatGPTの回答は正確さが保証されているわけではないという点です。** モデルは学習データに基づいて確率的な回答を生成しているため、間違った情報を提供する場合もあるのです。また、個人情報や機密情報の入力は絶対に避けましょう。ChatGPTは、プロンプトの一部がほかのユーザーへの回答として使われてしまう可能性があるためです。さらに、倫理的や法的な問題に関しては、ChatGPTは対応できません。ChatGPTはAIであり、使い方次第で差別や偏見を蔓延させ、**人権侵害**を引き起こす場合もあり得ます。ChatGPTを利用する際は、これらのChatGPTが苦手なことを意識して活用しましょう。

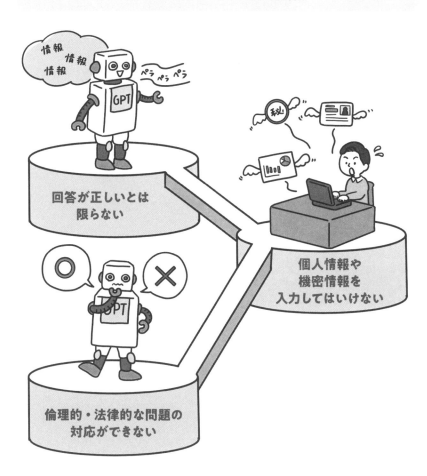

ChatGPTの注意点

回答が正しいとは限らない

個人情報や機密情報を入力してはいけない

倫理的・法律的な問題の対応ができない

覚えておきたい
ChatGPTの 必須ワード②

さらに知っておきたい AI 関連の
言葉と意味について紹介します。

☑KEY WORD

API（Application Programming Interface）

異なるソフトウェアやアプリケーション間で情報をやりとりするための規格や手順
です。ChatGPT API は、ChatGPT モデルを利用して開発者がアプリケーショ
ンやサービスに対話型の能力を追加するためのインターフェースです。

☑KEY WORD

シーケンスモデル

シーケンスモデルは、順番に配置されたデータを処理する機械学習モデルです。
文章や音声、時間データなど、順番が重要な情報を取り扱うときに使われます。
文章の翻訳をするときなどにシーケンスモデルが使われています。

☑KEY WORD

転移学習

あるタスクで学習された知識やモデルを、別の関連するタスクに活用する機械学
習の手法です。データが不足している場合や時間・リソースが限られている場合
でも、学習済みのモデルを再利用して新しいタスクに適応させることができます。

教師あり学習

機械学習の一種であり、入力データとそれに対応する正解ラベル（教師データ）を用いて、モデルを学習させる手法です。モデルは、入力データとその対応する正解ラベルの関係を学習し、未知のデータに対して予測や分類を行うことができます。

エンコーダ・デコーダモデル

入力データを処理して情報を抽出するエンコーダと、その情報を受け取って目的の出力を生成するデコーダからなるモデルです。主に自然言語処理や機械翻訳などに使われ、文章生成、質問応答、対話システムなどで利用されます。

パラメータ

システムやモデルの特性や動作を制御するために使用される変数のことです。システムやモデルは、パラメータの値によって学習速度や予測結果の精度などが異なり、コンピュータ科学や数学、統計学などのさまざまな分野で使用されます。

トークン化

自然言語処理（NLP）や情報検索などのテキストデータ処理タスクにおいて、テキストを小さな単位に分割する処理です。分割することでテキストの特徴量を抽出したり、単語の頻度や出現パターンを分析することなどができます。

Chapter

3

ChatGPT
mirudake notes

押さえておきたい!
ChatGPTとの会話術

ChatGPTとの対話をスムーズに行うためには、質問文である「プロンプト」が重要な要素となります。質問の仕方によって回答の精度が異なるため、基本的なプロンプトの作成術を学ぶことが大切です。この章では、ChatGPTを効果的に活用するための基本的なスキルを身につけましょう。

01 どう質問するのか、プロンプトが重要なカギ

プロンプトと呼ばれる、ChatGPTに入力するテキストに工夫を加えることで、いい回答が得られるようになります。

ユーザーが入力するテキストをプロンプトと呼びます。プロンプトは、ChatGPTに対して与えられる情報であり、その書き方によって生成される回答が変わります。**望む回答を得るためには、曖昧な質問ではなく具体的な質問をすることが重要です。**具体的な質問はChatGPTに明確な指示を与え、より正確な回答を導くことができるからです。

プロンプトは3種類に分けられる

ChatGPTに入力するテキスト（プロンプト）は、ここで紹介した3種類に大別できます。

プロンプトの書き方としては、主に３つのタイプがあります。**質問型**では、モデルに対して直接質問を投げかけることで回答を生成させることができます。**指示型**では、モデルに具体的な指示や手順を与え、特定の行動を促すことができます。**話題提供型**では、モデルに対して特定の話題について情報を提供し、それに関連する回答を生成させることができます。

いい質問と悪い質問がある

同じことを聞いてもプロンプトの書き方によって、ChatGPT の回答は大きく変わります。丸投げの質問では漠然とした答えしか返ってきませんが、具体的に質問することで回答の精度が向上します。

> どんな企画か具体性がなく、
> 回答もジャンルが幅広い。

新しい企画のアイデア教えて

もちろん、新しい企画のアイデアをいくつか提案します！企画の種類や業界によって異なるかもしれませんが、以下は幅広い分野に適用できるいくつかのアイデアです。

1. コミュニティ農園アプリ

    都市部で農園や畑を所有できない人々に対して、共有のコミュニティ農園を提供するアプリを開発します。ユーザーはアプリを通じて農園のプロットを予約し、自分で栽培したり、他のメンバーと協力して作物を育てたりできます。また、農園のイベントや交流会も開催してコミュニティを形成します。

2. AI搭載の自己学習プラットフォーム

> どんな企画をつくりたいのか、
> テーマが提示されると
> それに合った答えが出ます！

女性向けのスキンケア用品の新商品をつくります。アイデアを教えてくださ

素晴らしいですね！女性向けのスキンケア用品の新商品を作ることは、多くの人々に利益をもたらすことができます。以下は、新しい商品のアイデアです：

1. 「オーガニック グローマスク」：

    肌の輝きを引き出すオーガニック成分を使用したグローマスク。ビタミンC、ヒアルロン酸、抗酸化成分を豊富に含み、肌の明るさとハリを向上させます。デイリースキンケアルーチンに組み込みやすく、自然な輝きを提供します。

2. 「リラックスリペアナイトクリーム」：

    ストレスや疲労から肌を回復させるためのナイトクリーム。ラベンダーやカモミールの香りでリラックス効果を持

質問を繰り返しながら答えを求めていく

漠然とした答えが返ってくるのなら、指示や条件を付け加えながら何度も質問を投げかけるようにしましょう。

ChatGPT の回答の精度を上げる方法として、何度も質問を繰り返して、回答の内容を掘り下げていくというものがあります。 ChatGPT が生成した回答に対して、「ここをもう少し詳しく教えて」「これに関して具体例を出して」「小学生にもわかるように平易な言葉で」などといった**追加の指示**を出すのです。こうすることで、回答がより使えるものになっていきます。

質問を繰り返すことで回答を掘り下げる

STEP1

> GT　観光客向けの北海道のキャッチコピーを３つ考えてください。

> 🤖　1. "北海道へようこそ！自然の宝庫、感動の旅へ"
> 2. "白銀の大地、夢の舞台。北海道で冒険の始まりを"
> 3. "四季折々の魅力が広がる、北海道への誘い"

ChatGPTが
いいアイデアを
くれません。

質問を繰り返すと
いいです。

1回で満足できる答えが返ってくることはほとんどないので、一問一答で終わらせてはいけません。

追加の指示を出す中で、「ポイントを3つ挙げてください」「複数の案を出してください」「案は1つに絞ってください」といった感じで**回答形式を具体的なものにすることで、ChatGPT の回答をコントロールすることも可能です。**一問一答で対話を終わらせないことで、ChatGPT の実力をさらに引き出すことができるのです。

STEP2

> GT　3の「四季折々の魅力」をもう少し具体的に述べてください。

> 🌀　「四季折々の魅力が広がる、北海道への誘い」
>
> 北海道は、その広大な自然と変化に富んだ四季が特徴です。以下に北海道の四季折々の魅力を具体的にご紹介します。
>
> 1. 春の息吹：春になると北海道は豪快な雪解けとともに、新緑が芽吹きます。広大な野原や丘陵、美しい湖や川が、鮮やかな緑に包まれます。さらに、春は美しい花々が咲き誇る季節でもあり、桜やツツジ、ラベンダーなどの花々が一斉に咲き誇ります。
> 2. 夏の大自然：北海道の夏は、爽やかな気候と広大な自然が魅力です。美しい湖や海岸線で

STEP1 で出たキャッチコピー案の中でよかったものの内容を掘り下げていきます。

STEP3

> GT　「春の息吹」「夏の大自然」「秋の絶景」「冬の銀世界」というキーワードがすべて入ったキャッチコピーの案を3つ考えてください。

> 🌀　1. 「北海道へようこそ！春の息吹、夏の大自然、秋の絶景、冬の銀世界。四季折々の魅力に魅せられる旅へ」
> 2. 「四季彩る北海道へ！春の息吹、夏の大自然、秋の絶景、冬の銀世界が贈る感動の旅」
> 3. 「春夏秋冬、北海道の魅力を満喫！春の息吹から夏の大自然、秋の絶景、冬の銀世界への旅」

STEP2 の指示で得られた要素を盛り込んで、もう一度案を出してもらうと、より満足度の高い回答が得られます。

いいキャッチコピー案ができました！

03 質問者の立場や役割を明確にする

「どういう立場の人間が質問しているのか」を明確にすると、回答の精度がさらに上がります。

ChatGPTに具体的な回答を生成させる方法の1つとして、「質問者の立場や役割を明確にする」というものがあります。 例えば、ビジネス上のメールの文面を考えてもらう場合でも、「営業課の新入社員です」「社員50人の製造業の会社の人事部長です」など、質問の**前提となる条件**や背景を付け加えると、回答が具体的なものになります。

質問者の立場をプロンプトに付け加える

> GT　私は建設会社の営業課の新入社員です。新しい取引先に初めて送る挨拶のメールの文面を考えてください。

> ⑤　件名：ご挨拶と取引のご提案
>
> 尊敬する〇〇様（相手先の氏名）、
>
> 初めまして、〇〇建設株式会社の〇〇と申します。お世話になっております。
>
> 私は、最近弊社に入社したばかりの新入社員で、営業課に所属しております。ご縁がありまして、このメールをお送りさせていただきましたことを、心より感謝申し上げます。
>
> 弊社は、建設業界において〇〇（会社の特徴や実績など）を誇る会社であり、お客様の建設プロジェクトを成功に導くための幅広いサービスを提供しております。
>
> このたびは、新たな取引のご提案をさせていただきたく、ご連絡をさせていただきました。弊社の専門知識と経験を活かし、お客様のご要望に最適な建設プロジェクトの計画と

自分が新入社員であれば、「私は〇〇会社の新入社員です」と明記しましょう！

メールの文面を聞く場合でも、送る側の立場や役割を明確にすると回答の精度が上がる。

ChatGPTのビジネスでの活用方法を聞く場合でも、どういう立場の人間が使うのかによって、有効な回答は変わってくることでしょう。プロンプトには、具体的にどういう立場の人間なのかを盛り込んでください。**質問者の役割や立場を明確にすることで、ChatGPTからの回答が専門的な知識や用語が含まれた精度の高いものになる**のです。

✕

 新しいスナック菓子のアイデアを考えてください。

> 質問がざっくりしすぎで、意図がわかりませんね。

 もちもちポテトボールズ

概要:
もちもちポテトボールズは、サクサクした食感の外側ともちもちした食感の内側を持つ新しいスナック菓子です。ポテトの風味ともちもちした食感が絶妙に組み合わさり、食べるたびにユニークな体験を提供します。

特徴:

1. 二重構造: もちもちポテトボールズは、外側のサクサクとしたポテトの層と内側のもちもちしたポテトの層という二重の構造を持ちます。これにより、

> 新商品のアイデアを聞くのなら、質問者の立場や商品を販売する状況を付け加えよう。

◯

 私はコンビニエンスストアの商品開発スタッフです。夏に発売する10代の男女向けの刺激的なスナック菓子の企画を考えています。どういう商品がいいでしょうか？

 夏に発売する10代の男女向けの刺激的なスナック菓子のアイデアとして、「フリーズバーストバイト」を提案します。

概要:
「フリーズバーストバイト」は、涼しさと刺激を同時に味わえる、□ △ 菓子です。凍らせた果汁を凝縮した液体が中に詰まったパリパリの一口かじると凍った果汁が爽快に口の中で広がります。

> より具体的な商品の企画が提案されましたね！

特徴:

1. フリーズ感: 「フリーズバーストバイト」は、凍らせた果汁を使用しており、一口かじると爽快なフリーズ感が口の中に広がります。暑い夏にぴったりの涼しさと刺激を提供します。
2. フレーバーバリエーション: フリーズバーストバイトは、さまざまなフルーツの味を提供します。例えば、イチゴ、レモン、マンゴー、ブルーベリーなど、人気のあるフルーツのフ

04 どんな立場で答えるのか 職種やキャラを設定する

ChatGPT がどういう立場で回答するのかを指定することで、回答を望む方向性のものにすることができます。

64 〜 65 ページでは、質問者の立場や役割を明確にする方法を紹介しました。同様に前提として ChatGPT に立場を指定することで、回答の精度が上がる場合もあります。例えば、何か**キャッチコピーを考えたい場合、前提として「あなたは一流のコピーライターです。」と指定をします。**目的に合った職業やプロフェッショナルであることを前提とすれば、回答もより洗練されるのです。

ChatGPT に立場を与えよう

も あなたは一流のコピーライターです。下記の特徴を持つ商品のキャッチコピーを作成してください。

・自然由来成分を使用した
・オーガニックなスキンケア商品
・化学物質や合成添加物を排除
・肌への刺激を最小限に抑えた
・保湿や美肌効果がある

「○○のように」「○○になりきって」と指示することで、ChatGPTにキャラクターを与えることができる。

自然からの贈り物、真に優しい美しさ。

『オーガニック・グロウ』
100%自然由来成分のスキンケア

肌への優しさを追求し、化学物質や合成添加物は一切排除。
心地よい保湿力と美肌効果で、自然な輝きをあなたに。

大地の恵みが生んだ、本物のスキンケアを体感せよ。

かっこいいキャッチコピーが提案されました!

キャラクターを指定することで、回答の傾向が変わってきます。文章を重厚なものにしたいのであれば、「文豪のように」「哲学者のように」などと指定するといいでしょう。平易な文章を希望するのであれば、「小学校の先生のように」「幼い子どもの両親のように」などと指定すると、回答を希望の口調に近づけることができます。

キャラクターになりきってもらう

● ラッパーの場合

> GT　明日からテストです。あなたはラッパーになりきって、私を励ましてください。

> Yo yo! テストが明日からだって？そんなんじゃ俺は納得できねぇぜ！最高のパフォーマンスを見せてやるんだ！
>
> Listen up, my friend! テストはステージだと思って、自分の才能を炸裂させるんだ！その知識のスキルをフロウに変えて、問題をブチ破ってやるんだ！自信を持って、自分の答えを韻に乗せろ！
>
> 勉強はマイクと同じさ！練習すればするほど、スキルは磨かれていくんだ。過去のテスト問題をリミックスし、問題集をフリースタイルで攻略してやるんだ！決して怯むことはないぜ！

> 同じ内容の指示を出しても、キャラクター設定によって回答が大きく変わる。

● 文豪の場合

> GT　明日からテストです。あなたは明治の文豪になりきって、私を励ましてください。

> おお、明治の文豪として、あなたのテストに対して励ましの言葉を贈りましょう。
>
> 明治時代の文豪たちは、困難な時代背景の中で独自の文学を築き上げました。彼らの精神を受け継ぎ、あなたにエールを送ります。
>
> まずは、自分自身の才能と可能性を信じてください。文豪たちも初めは無名であり、苦難を乗り越えながら才能を開花させました。あなたも自身の力を信じ、テストで輝くことができます。
>
> 備の重要性を忘れずに。文豪たちは日々の執筆や研鑽を欠かさず あなたも努力を惜しまず、テストに向けて準備を積み重ねましょ

同じ質問でもキャラクターごとにこんなに変わるんですね！

67

05 制約条件を指定して ピンポイントな回答を

ChatGPT の回答に対して、何らかの条件を設定することで、回答の精度をアップさせることができます。

ChatGPT の回答の範囲が広すぎて、自分の望む答えからかけ離れてしまっているのなら、**制約条件**を設けてみましょう。**回答を制約することで、回答の範囲が狭まって、望む答えに近づけることができます。** 制約条件の例としては、「100 字程度の文字数で」「○○○というキーワードを使う」「詳しくない人でも理解できるように」などがあります。

制約条件によって望む回答を引き出す

 上手に絵を描くコツを、約400字で教えてください。

 絵を上手に描くためのいくつかのコツをお伝えします。まず第一に、練習が大切です。継続的な練習によって、描く技術や視力が向上します。毎日少しずつでも描く習慣を身につけることが重要です。

次に、観察力を養うことが必要です。物や人の形やディテールをよく観察し、それらを正確に再現するように努めましょう。アートの基本的な要素であるラインや形、色彩についても学ぶことをおすすめします。

また、ミステイクを恐れずに試行錯誤することも重要です。上手くいかなかった作品からも多くの学びが得られます。失敗を経験することで成長し、新たなアイデアや技術を見つけることができます。

さらに、他のアーティストの作品を研究することも役立ちます。優れたアーティストの作品を観察し、彼らの手法やスタイルに触発されること～～ルを向上させ～～～ができます。

> 文字数の条件を付け加えることで、長すぎる回答や短すぎる回答を防ぐことができる。

> 具体的な数字を提示するのがおすすめです！

68

制約条件は「#」を付けてプロンプトに書き込むこともできます。「# 制約条件：」と書いたうえで、箇条書きで制約条件を書き込んでいきましょう。具体的に制約条件を付け加えていくことで範囲が狭まるので、ChatGPT は効率的に情報を探して、回答を生成することができるようになります。これで、ユーザーも望みの回答を得るための労力を減らせるのです。

「#」などの記号を入れる

GT これからデビューする新人アイドルのキャッチコピーを考えてください。アイドルは大阪を拠点に活動する、19歳の女性の3人組です。

#制約条件：
・コピー案は4つ。
・関西弁のフレーズで。
・20字前後の文字数で。
・「元気」というキーワードを入れる。

「#制約条件：」と書いたうえで制約条件をまとめるのも有効だ。

1. 「ほんまに元気やで！大阪から元気3倍！」
2. 「イケイケやで！関西元気ガールズ、最高やで！」
3. 「関西っ子の元気パワー、全国へ発信やで！」
4. 「大阪の元気娘、夢と元気で輝く舞台へ！」

よく使う制約条件は保存しておいてコピペして使うと便利です。

One point

ChatGPTは膨大な選択肢の中から言葉を選んで文章を生成します。制約条件を設定することで、出力の範囲が狭まり、生成される文章の質が高まるのです。

69

06

質問させることで 足りない情報を引き出す

ChatGPTに質問させて、あなたがそれに答えることで、欲しい情報を効率よく手に入れることができます。

ChatGPTに**質問を促す**ことで、あなたの目的のために必要な情報を引き出すこともできます。「足りない情報があるなら質問してください」とプロンプトに入力すると、「〇〇に関して詳細を教えていただけますか?」などと、ChatGPTが必要な情報について質問してくるのです。それにあなたが丁寧に答えることで、ChatGPTがより精度の高い答えを返してくれます。

あえてChatGPTに質問させてみる

STEP1

> GT　新しいジュースの商品名を考えています。質を高めるために追加の情報が必要なら、私に質問してください。

> 🙂　もちろんです。新しいジュースの商品名を考えるために、以下の情報を教えていただけますか?
>
> 1. ジュースの種類やフレーバー:果物、野菜、ミックス、シトラスなど、どのような種類やフレーバーのジュースですか?
> 2. 商品の特徴:健康に良い、エネルギーを与える、リフレッシュメント効果など、商品の特徴やメリットはありますか?
> 3. ターゲットオーディエンス:商品を誰に向けて販売する予定ですか?子供向け、アスリート向け、ビジネスパーソン向けなど、特定のターゲットオーディエンスがありますか?
> 4. ブランドのイメージ:ジュースに関連したブランドのイメージやコンセプトはありますか?健康志向、自然派、エキゾチックなど、どのようなイメージを持たせたいですか?
> 5. パッケージデザイン:商品のパッケージデザインのイメージはありますか?カラフル、シ〜〜〜〜〜〜ようなデザインを考〜〜〜〜〜〜

ChatGPTに質問するのではなく、逆に質問してもらうことで、目的のために必要な情報が見えてくる。

新しい商品のネーミングを考えてるけど、どこから手をつけていいかわからない……。

こうした ChatGPT に質問を促すテクニックが有効なのは、**そのテーマに関して何から手をつけていいのかわからず、どういうプロンプトを書けばいいのかわからない状況のとき**です。そうしたときに「回答の質を高めるために情報が必要なら、私に質問してください」と ChatGPT に投げかければ、必要な情報が見えてきます。

STEP2

> GT　1.ジュースは梨ジュースです。
> 2.果汁100%が特徴です。
> 3.10代の若者が主要ターゲットです。
> 4.自然志向のイメージを持たせたいです。
> 5.パッケージデザインはシンプルなものを考えています。

> 🟢　ありがとうございます。提供していただいた情報を元に、新しい梨ジュースの商品名のいくつかの提案をご紹介します。
>
> 1. ピュアペア: 自然の恵み、果汁100%の梨ジュース。
> 2. ナチュラルピア: 自然の風味を凝縮した梨ジュース。
> 3. フレッシュペア: 新鮮な梨から生まれたジューシーな一杯。
> 4. シンプルリアル: 自然な甘さと豊かな風味が楽しめる梨ジュース。
> 5. ビタピア: ビタミンたっぷりの梨ジュースで、健康と活力を。
> 6. エコピア: 自然にやさしい、持続可能な梨ジュース。
> 7. フレッシュナチュラル: 自然の恵みをそのままに味わえる梨ジュース。
> 8. クリアペア: 透明感あふれる澄んだ味わいの梨ジュース。
>
> これらの提案は、梨ジュースの特徴である果汁100%や自然志向を反映し、ターゲットオーディエンスである若者に訴求するように考えられています。シンプルなパッケージデザインに合う名前を選んでいますが、好みやブランドのコンセプトによっても選択肢が変わる可能性があります。ご参考までにどうぞ。

ChatGPTが出した質問に答えていくことで、あなたが望む答えに近づいていく。

参考になる
アイデアがもらえました。
5番の案をベースに
考えてみよう！

one point

雑談のような形で、ChatGPTに質問してみるのもいいでしょう。「先輩から急ぎの仕事を押し付けられちゃった」と愚痴をこぼすと、「冷静に状況を把握する」「優先順位を付ける」などの解決策を教えてくれることもあります。

07 英語で質問をして 回答の精度を上げる

ChatGPT の学習ソースの大半は英語です。そのため、日本語より英語で質問したほうがいいケースもあります。

ChatGPT は英語、スペイン語、フランス語、ドイツ語、イタリア語、ポルトガル語、オランダ語、ロシア語、中国語、日本語、韓国語など**多くの言語**に対応しています。ここまでのページでも紹介したように日本語でもスムーズな対話が可能ですが、**ChatGPT が学習ソースにしている言語の大半は英語ですので、英語のほうが回答の精度が高くなります。**

ChatGPTは英語の学習量がずば抜けている

多くの言語に触れて学習している ChatGPT ですが、学習ソースの大半は英語で、知識量には偏りがあります。

英語圏の文献や資料はたくさんインプットしています!

日本語で満足できる回答が生成されなかった場合は、英語で同様の質問をしてみてください。英語が苦手な人は DeepL など Web 上で無料で使えるサービスを活用すれば問題ありません。自分の質問を英語に翻訳して入力し、英語で得られた回答も Web サービスで翻訳します。または、ChatGPT に回答を日本語に翻訳させてもいいでしょう。

英語で質問すると ChatGPT は本領を発揮

GT　What problems have you identified with the U.S. presidential election?　Please list one.

One problem that has been identified with the U.S. presidential election is the issue of voter suppression. Voter suppression refers to any effort or tactic used to prevent or discourage eligible voters from exercising their right to vote. This problem can take various forms, such as implementing strict voter ID laws, reducing early voting periods, purging voter rolls, and gerrymandering districts. These measures disproportionately affect marginalized communities, including racial and ethnic minorities, low-income individuals, and young voters, and can undermine the democratic process by limiting access to the ballot box and diluting the voices of certain groups of voters. Efforts to address and combat voter suppression are ongoing to ensure fair and equitable elections for all eligible citizens.

GT　回答を日本語に翻訳してください。

米国大統領選挙に関連して特定された問題の一つは、有権者の抑圧です。有権者の抑圧とは、有権者が投票権を行使することを妨げたり、意欲を削いだりするために行われるさまざまな手法や取り組みのことを指します。この問題は、厳格な有権者ID法の導入、早期投票期間の削減、有権者登録の削除、選挙区の不公正な再編成（ジェリーマンダリング）など、さまざまな形で現れます。これらの措置は、人種や民族の少数派、低所得者、若者などの弱者層に不均衡に影響を与えることがあり、選挙プロセスを損ない、特定の有権者グループの声を弱める可能性があります。有権者の抑圧に対処し、公正かつ平等な選挙を確保するための取り組みが継続されています。

「アメリカ大統領選挙は、どういう問題点を指摘されていますか？　1つ挙げてください」という質問を、Web サービスで英訳して入力した。回答は ChatGPTで和訳する。

73

08 テンプレートを活用する

#を付けて命令、制約条件、入力文などを書き分けると、非常に便利なだけでなく、回答の精度も上がります。

68 〜 69 ページで、**制約条件**に # を付けてプロンプトに書き加える方法を紹介しましたが、**制約条件以外にも # を付けてプロンプトを書くことができます。** インタラクションデザイナーの深津貴之氏が「深津式プロンプト・システム」と名づけて紹介している活用術で、「**命令書**」「制約条件」「**入力文**」「出力文」に # を付けて書き分けます。

プロンプトのテンプレートを用意する

> GT
>
> #命令書：
> 入力文を、制約条件をもとにわかりやすく要約してください。
>
> #制約条件
> ・文字数は約200文字。
> ・「だ」「である」調を使う。
> ・外来語は使わない。
>
> #入力文：
>
> #出力文：

テンプレートにして
保存しておきましょう。

こちらは深津貴之氏が考案した
プロンプトのフォーマットです。
命令書、制約条件、入力文の
部分は、自分の目的に合わせ
てテキストを書き込みましょう。

命令書は、ChatGPT に対する質問や指示の内容です。制約条件は68〜69ページで紹介した、回答に対する制限です。入力文は出力文のもとになるテキストです。**このフォーマットはさまざまなケースで活用できます**ので、テンプレートとして保存しておいて、状況に応じて命令書や制約条件、入力文を書き換えて活用するといいでしょう。

GT
#命令書：
2030年以降の日本の人口問題についての文章を作成してください。

#制約条件：
・文字数は約300字。
・「です」「ます」調を使う。
・難しい単語は使わない。
・「解決策」というキーワードを使う。

#出力文：

2030年以降の日本の人口問題について考えてみましょう。現在、日本は人口減少が進んでおり、将来的にはさらなる人口減少が予想されています。この問題に対して、私たちは解決策を模索する必要があります。

まず第一に、出生率の向上が重要です。日本では出生率が低下しており、少子化が進んでいます。若い世代にとって、子育ての負担が大きいことが要因として挙げられます。そのため、子育て支援策や働き方の改革が必要です。柔軟な労働環境や保育施設の整備など、子育てをサポートする施策を充実させることが重要です。

また、高齢者の支援も欠かせません。高齢者の人口が増える中で、介護や医療の需要が増大しています。この課題に対して、介護施設の整備や介護の専門職の育成を進める必要があります。また、高齢者の自立支援や地域のコミュニティづくりも重要です。高齢者が安心して暮らせる社会を実現するために、地域全体での取り組みが必要です。

さらに、外国人労働者の活用も一つの解決策です。技術や専門知識を持つ外国人労働者の受け入れを進めることで、労働力の確保や経済の活性化が期待できます。し、外国人労働者の受け入れには、適切な制度や環境づくりが必要です。

これらの解決策を総合的に取り組むことで、2030年以降の日本の人口問題に対応していくことができるでしょう。出生率向上のための子育て支援、高齢者の支援と地域のコミュニティづくり、そして外国人労働者の活用が重要な要素です。私たちの力を結集して取り組んでいきましょう。

利用者の目的によっては、左ページで紹介したフォーマットから入力文を省いてもいいだろう。

One point

ここで紹介したフォーマットを使うと、無駄な作業を省けるので、ChatGPTの回答の精度が上昇します。また、62〜63ページで紹介したように質問を重ねると、さらに回答の精度が高まります。

生成 AI をめぐる 注目企業は？

生成 AI の事業は Microsoft や Google だけではなく、
さまざまな企業が開発を進めています。その最新動向を紹介します。

☑KEY WORD

Meta （メタ）

旧 Facebook の Meta は、2022 年に大規模言語モデル「OPT-175B」を公開しました。2023 年には最新の「LIaMa」を研究者向けに限定公開しましたが流出し、エンジニアの人気ツールとなりました。5 月には「AI Sandbox」という生成 AI を試験提供しています。

☑KEY WORD

Amazon（アマゾン・ドット・コム）

2023 年にクラウドサービスで生成 A I 系アプリの開発を支援する「Amazon Bedrock」を発表しました。Amazon が開発したテキスト生成系 AI の「Amazon Titan」や画像生成 AI「Stable Diffusion」にアクセスできるサービスです。顧客が複数の基盤モデルを利用できるようになりました。

Adobe（アドビ）

デザインソフト最大手の Adobe は、2023 年に画像生成ＡＩの「Firefly」を発表しました。簡単な文章をもとに画像や装飾文字を生成し、著作権侵害の恐れがないコンテンツだけを AI の学習に用いるなど、著作権侵害の問題に対応しています。「Photoshop」への生成 AI 機能の搭載がはじまり、Google の「Bard」から Firefly で画像生成を可能にすると発表しました。

X.AI

イーロン・マスク氏が設立した人工知能（AI）に特化した新企業です。OpenAI 社が開発した「ChatGPT」に対抗するために立ち上げたという声もあり、今後の動向が注目されています。現在は「Truth GPT」という AI の開発を進めていることを公開をしました。

富士通

理化学研究所と富士通が開発を進めてきたスーパーコンピュータ「富岳」を活用した大規模言語モデルを 2023 年度中に発表する予定です。日本語に強い生成 AI の実現を目指し、多くの大学や研究機関がプロジェクトに参加しています。サイバーエージェントとの連携も検討しているといわれます。

サイバーエージェント

日本のインターネット関連企業であるサイバーエージェントは、日本語 LLM という大規模言語モデルを Hugging Face 上で一般公開しました。最大 68 億パラメータを持ち、日本国内の公開モデルにおいて最大級の規模です。

Chapter

4

ChatGPT
mirudake notes

実践してみよう!
基本の文章作成術

ChatGPT の得意な技術の１つとして文章作成があります。文章を校正・推敲したり、長い文章を要約したり、箇条書きの文章をレポートのようにまとめたり、文章作成においてさまざまな活用が可能です。この章では、基本の文章作成術を学びましょう。

01 文章を校正・添削する

ChatGPT を用いた効果的な文章校正テクニックの１つに、
文章の校正・添削があります。その手順を覚えましょう。

ChatGPT は、誤字や脱字の確認、文章の構成や流れの整理、**校正**や**添削**など、
文章の品質向上に非常に役に立つツールです。基本的には、**「次の文章を校正・添削してください」とプロンプトを入力すれば OK。**さらに文章の精度を高めたい場合は、「誤字・脱字の確認」や「表現の改善の観点から」など具体的な指示を入力すると、より納得のいく文章を生成できます。

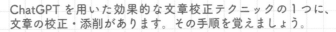

ベーシックな文章校正

> も　次の文章を校正・添削してください。
> 日本では全国各地からさまざまな種類の恐竜の化石が見つかっています恐竜の研究がはじまったのは1934年のことです。当時は日本領だっ樺太の海でニッポノサウルの化石が見つかりまた。

> 🌀　以下の文章は校正・添削を行いました。一部誤りを修正し、文意をより明確にしました。
>
> 日本では全国各地からさまざまな種類の恐竜の化石が見つかっています。恐竜の研究が始まったのは1934年のことです。当時、日本領だった樺太の海でニッポノサウルスの化石が見つかったとされています。

添削前より
読みやすくなりました！

「次の文章を校正・添削してください」とプロンプトを入力し、後ろに確認してもらいたい文章を入れる。文章を入れる前にshift＋Enterを押すと改行できる。

確認ポイントを明確にする

■ 誤字・脱字のチェック

> も　次の文章の誤字・脱字を修正してください。
> 日本では全国各地からさまざまな種類の恐竜の化石が見つかっています恐竜の研究がはじまったのは1934年のことです。当時は日本領だっ樺太の海でニッポノサウルの化石が見つかりまた。

> 「次の文章の誤字・脱字を修正してください。」とプロンプトを入力。意図的に脱字にした赤丸の部分が直っていることがわかる。

> ⑤　日本では全国各地からさまざまな種類の恐竜の化石が見つかっています。恐竜の研究がはじまったのは1934年のことです。当時は日本領だった樺太の海でニッポノサウルスの化石が見つかりました。

■ 表現の改善

> も　表現の改善の観点から校正してください。

> 「表現の改善の観点から校正してください。」とプロンプトを入力。ほかにも、「文章構成の最適化」「文法の確認」などポイントを入れると◎。

> ⑤　以下は表現の改善を行った校正版です。
>
> 日本では全国各地でさまざまな種類の恐竜の化石が見つかっています。恐竜の研究は1934年に始まりました。当時、日本領だった樺太の海でニッポノサウルスの化石が見つかりました。

修正した箇所を確認したい場合は、「どこを修正したか教えてください。」とプロンプトを入力しましょう。

> 「わかりやすく簡潔な文章にしてください。」とプロンプトを入力。最終的に納得する文章になるまで修正を繰り返すことが必要だ。

> も　わかりやすく簡潔な文章にしてください。

> ⑤　日本各地で様々な恐竜の化石が見つかっています。恐竜の研究は1934年に始まりました。当時、日本領だった樺太の海でニッポノサウルスの化石が見つかりました。

02 長い文章を要約・わかりやすくする

ChatGPTを使った文章生成術の1つに、「要約」の機能があります。うまく指示して、短時間で文章を読み取りましょう。

ChatGPTは、文章を簡潔でわかりやすく**要約**することができます。長くてわかりづらい解説文や資料、ChatGPTからの長い回答など、大量のテキストはChatGPTを利用して、短時間で読み取りましょう。単純に「要約して」と指示しても、希望通りにならないことがあるため、**より具体的に「200文字で」「小学生でもわかるように」など指定することが重要**です。

長文は要約してわかりやすくする

> も
> 下記の文章を要約してください。
> AI（人工知能)は、コンピューターシステムや機械に組み込まれた知減と学習の力を持つAIは、人間の知的な活動を模倣するために開発されたシステムであり、さまざまなタスクの問題を解決したりすることができます。機械学習やディープラーニングなどの技術を使用して、データからパターンや規則の抽出しを獲得します。また、自然言語処理や画像認識などの技術を使用して、人間の言語理解する能力も持っています。AIの応用は広範であり、自動運転車や音声アシスタント(例:Siri、Alexa)、顔認識システム、オンライン検索エンジン、金融取引の予測など、さまざまな領域で活用されています。

> ⑤
> AI（人工知能）は、コンピューターシステムや機械に組み込まれた知識と学習の力を持つシステムです。これは人間の知的な活動を模倣するために開発され、さまざまなタスクを解決することができます。機械学習やディープラーニングなどの技術を使用して、データからパターンや規則を抽出します。また、自然言語処理や画像認識などの技術を使用して、人間の言語理解能力も持っています。AIは自動運転〔……〕アシスタント（例：Siri、Alexa）〔……〕測など、さまざまな領

要約したけれど、まだ少し長くてわかりづらい……。

文章が長い場合はその文章をコピーし、「下記の文章を要約してください。」というプロンプトのあとにペーストすると、簡略化された文章が生成される。

さらに要約するときのポイント

❶ 文字数を指定する

> も　150文字に要約してください。

もっと短い文章に要約してほしいとき
は、「200文字で」「もっと短く」など
の適切な長さを入力すると、おおよそ
指定した文字数で答えが出てくる。

> ⑤　AIはコンピューターシステムや機械に組み込まれた知識と学習の力を持ち、人間
> の知的な活動を模倣し、さまざまなタスクを解決する。機械学習や自然言語処
> 理、画像認識などの技術を使用し、自動運転車、音声アシスタント、顔認識シ
> ステム、金融予測などで応用される。

ただ「要約して」と指示しても、
希望通りの要約がなかなかできません。
長さを指定するのが大切です！

❷ 読者対象を明確にする

> も　この文章を小学生でもわかるように要約してください。

「小学生でもわかるように」
など読む対象となる人を想
定した文章を入れると、より
わかりやすい文章になる。

> ⑤　AI（人工知能）はコンピューターの頭脳みたいなもので、いろいろなことを学びな
> がら、人間の知識や考え方を真似することができるよ。例えば、自動運転車や
> 音声アシスタント（SiriやAlexa）、顔を認識するシステム、お金の予測もAIが
> 手伝っているんだよ。たくさんの人の役に立っているんだね！

❸ 具体的に改善点を出す

「専門用語は避けて」
や「懸念点を中心に」
など改善点を具体的に
すると求めている文章
に導くこともできる。

> も　専門用語は避けて簡潔に要約してください。

> ⑤　AIは機械に組み込まれた知識と学習の力で、人間の知的な活動を
> 動運転車や音声アシスタント、顔認識などで活用されています。将
> は高度なAIの実現ですが、倫理的・社会的問題への注意が必要

どこを改善したいか
ユーザーもしっかり
考えながら
文章をつくりましょう。

03 文章を箇条書きにして要点を整理する

文章を要約する方法の1つに、箇条書きにするという方法があります。全体の要点や構造を把握できます。

文章を短く要約しても要点がつかめなかったり、**構造**がわからなかったりするときにおすすめなのが、**箇条書き**にするという方法です。**文章を箇条書きに分類することで、全体をスッキリ整理することができ、また論理的な関係性も読み解くことができます。**ここでは、より効果的に活用できるプロンプトのコツを紹介します。

「箇条書きに」だけでは長すぎる

 下記の文章を簡潔に箇条書きにしてください。
AI（人工知能）は、コンピューターシステムや機械に組み込まれた知識や能力を持つAIは、人間の知的な活動を模倣するために開発されたシ〔…〕さまざまなタスクの問題を解決したりすることができます。

機械学習やディープラーニングなどの技術を使用して、データからパタ〔…〕抽出しを獲得します。また、自然言語処理や画像認識などの技術〔…〕人間の言語理解する能力も持っています。AIの応用は広範であり、〔…〕車や音声アシスタント(例:Siri、Alexa)、顔認識システム、オンライン〔…〕ン、金融取引の予測など、さまざまな領域で活用されています。

> 「箇条書きにして」とプロンプトを入力すると、指示通りに箇条書きになる。しかし、1文が長かったり、内容がわかりづらかったりすることも多いため、「要点を簡潔に」など制約を入れるといいだろう。

- AI（人工知能）は、コンピューターシステムや機械に組み込まれた〔…〕の力を持つシステム。
- 機械学習やディープラーニングなどの技術を使用し、データからパターンや〔…〕獲得する。
- 自然言語処理や画像認識などの技術で人間の言語理解能力を持つ。
- 応用は自動運転車、音声アシスタント（例：Siri、Alexa）、顔認識システム、オンライン検索エンジン、金融取引の予測など多岐にわたる。
- 目標は人間の知能と同等またはそれ以上の知能を持つシステムの開発。
- 現在のAIはまだ限定された範囲での知識に基づく能力を持つ。

> それでも長くて、なかなか頭に入ってきませんね……。

「箇条書き」の応用テクニック

● 箇条書きを構造化する

 構造化してください。

箇条書きにして要点を確認しても、要素の関係性や論理性などを読み取るのが難しい。「構造化して」とプロンプトを入力すると、文章全体をさらにわかりやすく整理できる。

 AI（人工知能）は、次のように構造化できます：

1. AIの定義と目的
   * AIはコンピューターシステムや機械に組み込まれた知識と学習の力を持つシステムである。
   * 人間の知的な活動を模倣し、さまざまなタスクを問題解された。
2. AIの技術と能力
   * 機械学習やディープラーニングなどの技術を使用して、データからパターンや規則を獲得する。
   * 自然言語処理や画像認識などの技術を使用して、人間の言語理解能力

要点が分類されて
わかりやすさが
一気に上がりましたね！

● 箇条書きの先頭に数字を入れる

 箇条書きの先頭に日本語の全角英数字記号を入れてください。

 了解しました。日本語の全角英数字記号を先頭に入れた箇条書を以下に示します：

　１．ＡＩ（人工知能）はコンピューターシステムや機械に組み込学習の力を持つシステムであり、人間の知的な活動を模倣するこ

　２．機械学習やディープラーニングなどの技術を使用して、データ規則を抽出し、学習します。

　３．ＡＩは自然言語処理や画像認識などの技術を利用して、解能力も持っています。

　４．AIの応用は広範で、自動運転車、音声アシスタント（例ｉ、Ａｌｅｘａ）、顔認識システム、オンライン検索エンジン、金

先頭を「・」にしたい場合は
「箇条書きの先頭に、日本語の・記号を
入れて。」と入力しよう。

箇条書きにした文章を別のデータに移す際、先頭の「・」は反映されない。そのため、先に先頭を英数字記号などに置き換えたほうが、データに移した際に手入力する手間が省けて便利。プロンプトは「箇条書きの先頭に、日本語の全角英数記号を入れて。」と入力する。

04 箇条書きやキーワードから文章をつくる

箇条書きにした要点や、キーワードのメモを ChatGPT で簡単に文章化することができます。大幅な時間短縮になるでしょう。

箇条書きのメモや、キーワードなどから文章をつくることも可能です。また、長い文章を箇条書きにして要点を整理したあとで、文章化することもおすすめです。どちらにせよ、プロンプトに「箇条書きを文章にして」と入力すれば簡単に文章が生成されます。文章は目的に合わせて、例えば感想文を書きたい場合は「読書感想文のような」と指示することで、文章の調整ができます。

箇条書きを文章にする

> も 下記の内容は太宰治の『走れメロス』の感想です。箇条書きを文章にして、感想文をつくってください。
>
> --
>
> ・内面の葛藤と人間の本質について考えさせられる
> ・メロスの友情と信念に感動した
> ・哲学的なテーマを感じる
> ・文体が美しい
> ・古代ギリシャの舞台だが現代にも共感できる
> ・予測不可能な結末だった
> ・自由や正義について考えさせられた

「箇条書きを文章にしてください」とプロンプトを入力する。生成された文章はまだ読みづらく、自分で推敲して手直しする必要があるが、しっかりと文章化される。

大幅な時間短縮ができますね!

 太宰治の『走れメロス』を読んでの感想は以下の通りです。

『走れメロス』は、内面の葛藤と人間の本質について考えさせられる素晴らしい作品でした。主人公メロスの友情と信念に感動しました。彼の心の葛藤や葛藤を通して、哲学的なテーマを感じることができました。

太宰治の文体は美しく、古代ギリシャの舞台であるにもかかわらず、現代にも共感できる普遍性を持っていると感じました。物語の中で登場する自由や正義といったテーマについても考えさせられました。

読書感想文をつくる

も 読書感想文のような文章にしてください。

「読書感想文のような文章にして。」
など明確な指示を入力すると、それに
沿った文章を生成してくれる。箇条書き
ではわからない具体的な詳細について
も、ChatGPTが継ぎ足してくれ、しっ
かりとした文章をつくることができる。

『走れメロス』を読んでの感想を述べます。

太宰治の『走れメロス』は、内面の葛藤と人間の本質に深く迫る作品でした。
主人公メロスの友情と信念に胸を打たれ、彼の苦悩と決断に心を動かされまし
た。物語は古代ギリシャの舞台を背景にしていますが、そのメッセージは現代にも
通じる普遍的なものであり、自分自身に向き合うきっかけを与えられるような気
がしました。

太宰治の文体は美しく、言葉の響きが心に響くようでした。物語の進行に合わ
せて、情景が鮮明に浮かび上がり、登場人物たちの感情に共感せずにはいられ
ませんでした。特にメロスの友情に溢れた心の葛藤は、胸にじんわりと暖かい感
情を抱かせてくれました。

作品を通して、哲学的なテーマが巧みに描かれていることに気づきました。自由
や正義といった普遍的な概念について深く考えさせられ、物語の結末に至るま
で予測不可能な展開に驚かされました。それによって、自らの信念や行動原理
に向き合うよい機会を得たように感じました。

『走れメロス』は、ただの物語ではなく、読者に心の奥底に響く感動をもたらす作
品でした。太宰治の巧みな筆致と哲学的なテーマ性が相まって、私の心に深い
感銘を与えてくれました。これからも太宰治の作品に向き合っていきたいと思う一
冊でした。

AIが書いたとは
思えない読書感想文
ですね……！

One point

「そして」「また」「ただし」な
どの接続詞もChatGPT
は文脈から入れてくれま
す。箇条書きの際に入力す
る必要はありません。

05 文章の見出しや キャッチコピーをつくる

魅力的な見出しやキャッチコピーをつくるときは、ChatGPT を活用し、より効果的なものを生成してもらいましょう。

興味を持ってもらえるような文章の**見出し**や、商品やイベントなどの広告の**キャッチコピー**なども、ChatGPT は有効に活用できます。文章の場合、**見出しにしてほしい文章を入力し、「見出しをつくって」と指示するだけ**で生成してくれます。商品などは、具体的な特徴やターゲットなど詳細を明記すれば、より精度の高いキャッチコピーが生成されます。

見出しをつくる

> あなたは有名な一流コピーライターです。下記の文章は、仕事に役立つChatGPTの活用法について説明しています。読者に興味を持たせるような見出しを5つ作成してください。
>
> ChatGPTは、膨大な情報を持っており、特定のトピックや質問に関する高品質な情報を提供できます。仕事上の課題やプロジェクトに関する情報を収集する際に、ChatGPTを利用することで、時間と労力を節約することができます。ChatGPTに質問を投げるだけで、迅速かつ正確な情報を得ることができます。

> 1. "超パワフルな知識源：ChatGPTがあなたの仕事を劇的に変える！"
> 2. "時間を節約して成果を最大化：ChatGPTの活用術とは？"
> 3. "瞬時に正確な情報を得る：ChatGPTがあなたの頼れる相棒！"
> 4. "ストレスフリーな業務自動化：ChatGPTが煩わしいタスクを解決！"
> 5. "効率的なチームコラボレーション：ChatGPTで円滑なコミュニケーションを実現！"

「あなたは一流のコピーライターです」という前提を入れると◎。見出しをつくってほしい文章や、特徴などを明記しよう。

「読者に興味を持たせるような」という条件を入れたことでより明るいテイストの見出しができましたね！

広告のキャッチコピーをつくる

● 制約条件を入力する

 フェイスクリームの化粧品を新規開発しました。下記の特徴をもとに、制約を守り
つつ、キャッチコピーを5つ作成してください。
・前提情報商品名：ルミナスシルク
・商品説明：シルクのようになめらかなテクスチャーで、肌に輝きを与えます。自
然由来の成分を贅沢に配合し、乾燥やくすみを防ぎながら、透明感のある肌を
実現します。さらに、日中の紫外線から肌を守りながら、長時間美しい仕上がり
を持続させます。"など、商品の特徴や利点を強調し、
ーチするような説明が効果的です。
・商品価格：5000円
・内容量：50ml
・ターゲット：25歳から35歳の都会の働く女性

###制約
・20字程度で
・読者が商品を購入したくなるような表現
・柔らかい文体

> 特徴や制約を入力すれば、より精度
> の高いキャッチコピーの作成ができ
> る。商品であれば、商品名、商品の
> 説明、価格やターゲットなどを明記
> する。制約として、文字数や表現、
> 口調などを指定する。

> 文字数は正確ではありませんが、
> どのキャッチコピーも要点をしっかりと
> 表していますね！

1.「シルクの輝き、肌に宿る。透明感あふれる素肌へ。」
2.「自然な美しさを纏う。乾燥やくすみ、紫外線もシルクでガード。」
3.「都会の肌に贅沢な輝きを。ルミナスシルクで美しさを引き出そう。」

● 必要な情報を質問してもらう

 フェイスクリームの化粧品を新規開発しました。広告をつくるため、最高のキャッチ
コピーを提案してもらいたいです。知りたい情報を質問してください。

素晴らしいですね！フェイスクリームの新規開発おめでと
最高のキャッチコピーを提案するために、以下の情報を教

1. このフェイスクリームの主な特徴や効果は何ですか？
2. どんなターゲット層に向けて販売する予定 　　（例：年齢層、肌のタイ
　性別など）
3. 競合他社の製品との差別化ポイントは
4. ブランドのコンセプトや理念はあります
5. 広告のメディアや形式は何を考えています 　　例：テレ

> どんな情報を伝えたらいいかわか
> らないときは、「知りたい情報を
> 質問してください」と逆に質問す
> ると◎。その質問に対する情報を
> 提示すれば、問題なくキャッチコ
> ピーが生成される。

> この5つの要素の
> 情報を明記すれば
> 直す必要のないキャッチコピーが
> つくれるんですね！

06 文章のテイストを変える

場合に応じて文体や口調を修正することも可能です。

ChatGPT は文章の文体や口調を書き換えることができます。 例えば、文末が「だ・である」の常体は、「です・ます」の敬体に変換が可能です。「文体を敬体にして」というプロンプトを入力するだけで簡単に変換できます。ただし、敬体から常体の変換はできず、一部文体が変に変換される場合もあるため、変換後の見直しは必須です。

語尾の文体を変える

> も　次の文章を口語体に修正してください。●┄┄┄

> 文末を「だ・である」の常体から「です・ます」の敬体に変更できる。また、「口語体」にも修正可能。

> まず、貯金をすることにより、予期せぬ出費に対処するためのバッファーを作ることができる。人生には思いがけない出来事が起こることがあるからだ。例えば、家電製品の修理や車の故障、緊急の医療費などが挙げられる。これらの出費に対応するためには、貯金があることで安心感を得られる。

「です・ます」体

> まず、貯金することにより、予期せぬ出費に対処するためのバッファーを作ることができます。人生には思いがけない出来事が起こることがあるからです。例えば、家電製品の修理や車の故障、緊急の医療費などが挙げられます。これらの出費に対応するためには、貯金があることで安心感を得られます。
> さらに、貯金は将来の目標を達成するための資金を確保する手段となります。

「口語」体

> まず、貯金しておくと、予想外の出費に対処できるんだよ。人生って思いがけないことがあるからね。例えば家電が壊れたり、車が故障したり、急な医療費がかかったりすることもあるんだ。そういう出費に備えて、貯金しておくと安心感があるんだ。

また、**ビジネス文書や論文など、用途によって口調を揃える場合も、ChatGPT で処理することが可能**です。「ビジネスマンが書くように」など立場や役職をプロンプトに入力することで、イメージに近い口調に書き換えられた文章が生成されます。ほかにも、「フレンドリーに」「楽しげに」などの口調のニュアンスも指定が可能です。

さまざまな口調への変換

● 立場や職種を入れる

> も　詩人のような文章にしてください。

研究者や哲学者、小説家、ビジネスマン、エッセイスト、詩人など、立場や職種の指定を入れると、それに見合った文章に変換される。

「○○に務めるエリートビジネスマン」などの細かい条件を入れるのも、イメージに近づけるコツです。

> 彼方に願い馳せる、貯金の輝きを夢見て。
> 生命の舞台には、奇跡が舞い降りる。
> 機微に満ちた宇宙の詠み手が織り成す糸。
> 予想外の彩りに魅せられて、心躍らせん。
>
> 器用なる手織りの舞台には、意外な出来事も踊る。
> 機敏なる時の音色、家電製品の舞台で踊る振り子のように。
> 車輪回れる、幸運の舞踏、緊急の舞台に姿を見せん。
>
> 貯めたる秘めたる蓄積は、将来の夢へと続く橋梁。

● 口調のニュアンスを指定する

> も　フレンドリーな口調に修正してください。

「○○の口調に修正してください」と入力。フレンドリー・命令・俺様・ツンデレ・タメ語・フレンドリー・ギャル・侍など、さまざまな口調を指定できる。

> やったね！貯金することで、思わぬ出費にも余裕で対処
> 予測不能だからね、突然の出費もあるよね。家電が壊れたり、車のトラブルだってあるし、急な医療費もあり得るよね。でも大丈夫！そんなときでも貯金があれば、安心感がぐんとアップだよ！
>
> さらに、貯金は将来の夢を叶えるための大切な手段なんだよ。新しい家を買ったり、子供の教育費を捻出したり、自分のビジネスを始めるための資金を手に入れるのにも役立つんだ。だから、目標に向かって貯蓄することで、いつかはきっと夢を叶えられるんだよ！

07 文章やフレーズを翻訳する

ChatGPT はさまざまな言語への翻訳ツールとして使用可能です。ChatGPT の翻訳機能の精度を確認してみましょう。

ChatGPT の翻訳機能は多言語対応ですが、精度には言語ごとに差があります。
英語やスペイン語などの欧米諸国の言語においては高い翻訳精度を発揮しますが、これは豊富な学習データと研究が行われてきたためです。とはいえ、より複雑な文法や表現を持つ言語は、翻訳が難しくなることがあります。自動翻訳を使用する場合は、適切かどうか見直しましょう。

言語によって精度に差がある

ChatGPT はさまざまな言語に対応していますが、言語によって精度が異なります。言語処理能力が高いのは、英語、イタリア語、スペイン語などの欧米国の言語です。精度が高いほど、翻訳精度も高いのです。

84.1 イタリア語　85.5 英語　84.0 スペイン語　79.9 日本　71.8 タイ

OpenAI が公開した各言語の処理精度を示すグラフ (ChatGPT-4) を参照。

ChatGPTとGoogle翻訳の比較

● 英語から日本語に翻訳

〈 ChatGPT 〉

> も　下記の文章を日本語に翻訳してください。
> Change is the law of life. And those who look only to the past or present are certain to miss the future.（John F. Kennedy）

> 変化こそが生命の法則です。そして、過去や現在だけを見つめる人は、確実に未来を見失うでしょう。（ジョン・F・ケネディ）

「下記の文章を日本語に翻訳してください。」と入力したあとに、英文を入れる。

〈 Google翻訳 〉

> 変化は人生の法則です。そして、過去や現在だけに目を向ける人は、確実に未来を見逃すことになります。　☆

どちらも翻訳の精度に大きな差はありませんが、少しだけ表現の違いが見られますね。

● 日本語から英語に翻訳

〈 ChatGPT 〉

> も　下記の文章を英語に翻訳してください。
> ChatGPTの活用法を教えて。

> "Please explain how to make use of ChatGPT."

「下記の文章を英語に翻訳してください。」と入力したあとに、日本語を入れる。

〈 Google翻訳 〉

> Tell me how to use ChatGPT.　☆

ChatGPTの翻訳のほうが、会話文として自然な英語になっているのがわかります！

文章を表にしてデータをまとめる

長い文章や多くの事例は、表にしてまとめると理解がしやすくなります。表はプロンプトの指示で修正が可能です。

ChatGPTは、文章から特徴ごとに分類し、**表**にしてまとめることが可能です。**必要なデータのみ抽出して表にすることもでき、データ処理を行う際も非常に便利**です。例えば、会話の中で多くの事例が出てきたとき、「表にまとめてください。」と指示します。さらに「○○の情報を抜き出して列をつくって」という指示をすると、簡単にデータを整理することができます。

文章は表にしてわかりやすく

  ビジネスの企画書をつくる上で必要な要素を教えてくだ…表にしてまとめてください。●～～～～～～

> たくさんの事例が出てきたとき、「表にまとめてください」とプロンプトを入力。すぐに表形式が生成されて、理解しやすくなる。

⑤ ビジネスの企画書には、以下のような要素が一般的に含まれます。これらを表にしてまとめてみましょう：

要素	説明
タイトルページ	企画書のタイトル、提出日、提出者などの基本情報が記載されます。
～ブサマリ	企画書の概要を簡潔にまとめた部分で、読者に対してビジネスの要点を伝えます。
背景と目的	ビジネスアイデアの背景や市場の課題、企画の目的を説明します。
ビジネスの概要	提供する商品やサービス、ビジネスモデル、競合他社との違いなどについて記述します。
ターゲット市場	誰に対して提供するのか、ターゲット市場の特徴や規模などを…

> 表にしたデータはExcelに貼り付けができます!

表づくりのテクニック

● 事例を表にまとめる

🔲 あなたはAIコンサルタントです。教育におけるAIの活用について、事例を3つ教えてください。

🔵 教育におけるAIの活用には様々な事例があります。以下に、3つの具体的な事例を紹介します：

1. カスタマイズされた学習経験:
   AIは、生徒の個々の学習スタイルやニーズに応じてカスタマイズされた学習経験を提供するのに役立ちます。生徒の学習パフォーマンスを追跡し、それぞれの強みと弱みを特定することで、適切な教材や演習を提供できます。また、AIは自

> たくさんの事例を表にまとめるときは、「これらの事例を、「事例」「概要」「AI技術」の3列の表にまとめてください。」といったプロンプトを入力。

🔲 これらの事例を、「事例」「概要」「AI技術」の3列の表にまとめてください。

🔵 以下に、「事例」「概要」「AI技術」の3列の表で教育におけるAIの活用事例をまとめます：

事例	概要	AI技術
カスタマイズされた学習経験	生徒の個別の学習スタイルやニーズに応じた学習経験を提供	機械学習アルゴリズムによるデータ分析、自動評価
教師のサポー	教師の教室内業務を支援	自然言語処理（NLP）による

● データを抽出し、表を修正する

🔲 AI技術の例を、1つの事例につき2つのAI技術を選択し、「AI技術①」「AI技術②」という列にしてください。

🔵 了解しました。以下に、教育におけるAIの活用事例とそれに使用される2つのAI技術を示す表を作成します：

事例	概要	AI技術①	AI技術②
カスタマイズされた学習経験	生徒の個別の学習スタイルやニーズに応じた学習経験を提供	機械学習アルゴリズムによるデータ分析	自動評価や学習進捗追跡のためのデータマイニング
教師のサ	教師の教室内業務	自然言語処理	自動化技術による

> 表の中のどれかを抽出したい場合は「○○の△△を選択し」といった指示を出し、表をさらに修正したい場合は、「「AI技術①」「AI技術②」という列にしてください。」といったプロンプトを入力する。

ChatGPT以外の生成AIは？

生成AIはChatGPTだけではありません。今注目されている
Googleの「Bard」とMicrosoftの「Bing AI」について紹介します。

☑ KEY WORD

Bard

Googleが開発した対話型AIサービスです。「LaMDA」（Language Models for Dialogue Applications）というオリジナルのモデルをベースにしており、Google検索と連携しているため、最新情報を検索できるのがメリットです。文章生成や回答速度に関しては、ChatGPTに劣る部分はありますが、画像対応やアプリの統合などの強化を今後進めるといわれています。

◀メール文の作成では、複数の回答例が表示される。丸で囲んだアイコンをクリックすると、Googleドキュメントに貼り付けたり、Gmailに文面を転送することができる。

Bing AI

マイクロソフトの検索エンジン「Bing」に搭載された生成 AI サービスです。ChatGPT では有料となる GPT-4 モデルに対応しており、無料で使用できるのが大きなメリットです。ChatGPT（無料版）の大規模言語モデルは 2022 年 1 月までの情報しかないため、最新情報を検索したい場合は Bing AI で検索したほうがいいでしょう。ただし、ChatGPT が得意とする文章作成が苦手だったり、やりとりを記録したりすることができません。1 回のセッションは 20 回までで、1 日当たりのやりとりは 200 回までの制限があります。

▲ Bing にサインインし、上部の「チャット」をクリック。Bing AI のチャット画面が表示される。

▲最新情報をもとに回答が表示される。情報元となるウェブサイトも提示してくれる。

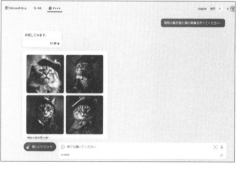

▶画像生成も行うことができる。「画像をつくって」と指示すれば、誰でも簡単に作成できる。

Chapter

5

ChatGPT
mirudake notes

ビジネスで使える
ChatGPTの
有効活用術

ChatGPT は、仕事を手伝ってくれるビジネスパートナーのようなものです。資料や企画づくりにおいての情報収集や分析、メール文や議事録、日報などの文書作成の業務にも大いに役立ちます。この章では、仕事の作業時間が短縮できる活用法を紹介します。

01 ビジネスメールの下書きを作成する

仕事のメールは、ChatGPT を有効活用すると大幅な時間短縮になります。その基本的なやり方を学びましょう。

メールを作成する際は、適切な言葉づかいになっているか、何かと気を遣うことが多いですが、ChatGPT は**メールのテンプレートの作成や代筆が可能です。**シチュエーションごとに、目的や内容を入力すると定型文が生成され、さらに要点を書き込むだけで、自然なメール文への書き換えができます。仕事の大幅な時間短縮につながるでしょう。

テンプレートを作成してくれる

○○株式会社の△△様宛に「●●プロジェクト」についての打合せを行います。その日程を調整するためのビジネスメールを書いてください。候補は以下です。場所は先方の会社で、時間は1時間を予定しています。

07/10（月）10：00～12：00 ●
07/11（火）終日
07/12（水）14：00～15：00

> ここでは、打ち合わせの日程調整をする際のメールで、候補の日時を書き込むだけで、このようなテンプレートが生成された。宛先や用件、日時などの情報を書き込むとより完成度が高くなる。

件名：「△△様宛に「●●プロジェクト」打合せの日程調整について」

拝啓、△△様

お世話になっております。○○株式会社の××でございます。突然のご連絡を許しいただき、ありがとうございます。

さて、「●●プロジェクト」についての打合せを行わせていただきたく、日程の調整をさせてください。場所は貴社の会社で行うことを希望しており、予定時間は1時間を想定しております。

以下の候補日について、可能な日時をお知らせいただけますでしょうか。

1. 07/10（月）10：00～12：00

> 下書きをもとに、微調整して作成すれば時間短縮になります！

要点を箇条書きにするだけ

も お客様から商品不良に関するクレームがありました。下記の内容を含めた謝罪メールを作成してください。相手の気分を害さないようにしてください。

・商品に破損等の不具合があった
・原因は配送時の不備
・交換品の送付は在庫切れで遅れてしまう
・時期がわかり次第連絡する

> 「相手の気分を害さないように」などニュアンスを入れることで、その通りに内容が補足される。

> メール文の内容を箇条書きにして伝えると、内容に合わせてメール文が生成される。箇条書きはシンプルなメモ書きでOK。情報は詳しく書き込もう。

⑨ 件名: 大変申し訳ございません｜商品の不具合について

拝啓、お客様

いつもご愛顧いただき、誠にありがとうございます。お客様から商品に関するクレームをいただいたことを、心よりお詫び申し上げます。

お手元に届いた商品に破損などの不具合が見られたとのこと、大変遺憾でございます。私たちの使命は、お客様に喜んでいただける商品を提供することであり、このような事態が発生したことを深く反省しております。

調査の結果、不具合の原因は配送時の不備によるものと判明いたしました。当社としては、より一層の品質管理を徹底し、これらの問題を未然に防ぐための対策を講じて参ります。

お客様には、交換品の送付が予定よりも遅れてしまうというご迷惑をおかけしておりますことをお詫び申し上げます。残念ながら、現在交換品の在庫が切れており、お手元にお届けするまでに少々お時間をいただく見込みです。しかしながら、確実なお届けのために、努力しておりますので、もう少々お待ちいただけますようお願い申し上げます。

交換品のお届け時期に関しましては、判明次第、迅速にご連絡差し上げる予定です。どうぞご安心くださいませ。

お客様には、不愉快な思いをさせてしまい、大変申し訳ございません。今後このようなことがないよう、更なる努力を重ねてまいります。

何かご質問やご要望がございましたら、いつでも
続きに関するお手伝いをさせていただきます。

お手数をおかけいたしますが、何卒ご理解賜りますようお願い

> ところどころ不自然な部分を修正し、自分らしさがでるよう微調整をすると◎。

悩む時間が大幅に減る英文のメール作成

英文のメール作成は、ChatGPTを活用すれば、ものの数秒でプロ並みの完璧な英文を生成することが可能です。

ChatGPTは、英文でのメール作成や文章添削など実践的な**ビジネス英語**に活用できます。英語が苦手でも、海外との英文でのメールのやりとりが可能です。日本語での通常のメールと同じく、**シチュエーションや目的、ニュアンスなどを指定すれば英文メールのテンプレートが簡単に生成されます。**その後、ChatGPT上で日本語に翻訳して確認しましょう。

英文のテンプレートがすぐに生成される

 アメリカの商社に、新規プロジェクトの進捗について、オンラインミーティングを打診するメールを、英文で作ってください。

> ここでは、「オンラインミーティングを打診するメールを英文でつくって」と指定。すぐにメールのテンプレートが生成された。

Subject: Request for Online Meeting - Update Progress

Dear [Recipient's Name],

I hope this email finds you well. My name is [Your N represent [Your Company Name]. We are current exciting new project with your esteemed organiza writing to kindly request an online meeting to discuss and developments.

> 内容については「日本語に翻訳して」と質問すれば、すぐに確認することができます!

As we value the collaboration between our companies, we believe that a virtual meeting would be a great opportunity to exchange updates, address any potential challenges, and align our strategies to ensure the project's success.

プロフェッショナルなメール文に

も あなたは外資系商社の新規事業開発部に所属し、アメリカの大手総合商社との共同開発の可能性について話し合うオンラインミーティングを開催したいと考えています。そのためのメール文を作成してください。熱意が伝わるような感動的なメールを英語で書いてください。

①メールの送信者の立ち位置②具体的な目的③ニュアンスの3つの要素を入れた指定にすると、さらに実用性の高いメール文が生成された。

Subject: Exploring the Boundless Horizons of Coll[...] Create Something Extraordinary Together!

Dear [Recipient's Name],

I hope this email finds you in high spirits and excellent health. My name is [Your Name], and I am thrilled to be part of the new business development team at [Your Company], a company dedicated to pushing the boundaries of innovation and forging global partnerships.

「日本語に翻訳して」と聞くことで、内容を確認できる。「熱意が伝わるように」という注文も表現されていることを確認しよう。

も 日本語に翻訳してください。

件名：協力の無限の可能性を探求しよう－一緒に感動的なものを創り出しましょう！

日本語でさえ書けないようなメール文を生成してもらえます！

[受取人の名前] 様

[...]勝のこととお慶び申し上げます。私は[あなたの名前]と申します。[あなたの会社]の新規事業開発チームに所属しております。当社は革新への挑戦と国際的なパートナーシップの構築に情熱を燃やしております。

今回は、大きな期待と興奮を胸に、このメールを書かせていただきました。私たちのチームは、産業の枠を超える素晴らしいパートナーシップを追求しており、その中で[あなたの会社名]様の存在に出会いました。アメリカ市場における先駆者としての評判、そして卓越性へのこだわりに、私たちはただただ感嘆の念を抱いており

03 情報収集のアプローチを教えてもらう

企画立案や資料づくりをするうえで必要な情報収集。まずは
リサーチのやり方を ChatGPT に聞いてみましょう。

情報収集や**情報分析**はビジネス戦略において重要な作業の１つです。
ChatGPT は、あらゆる情報収集のツールとして非常に役に立ちます。ほか
の検索ツールと異なり、リサーチのアプローチ方法を明確に教えてくれる点
が特徴です。「○○について情報収集がしたい。**どんな観点で分析すればいい
のか」と聞くことで、重要な手がかりを得ることができる**のです。

リサーチするべきことを知る

も　コンサル業界について情報収集をしたいです。
ビジネスにおいてどんな観点で分析すればいいですか。

> まずは情報収集の手段を知る
> ことで効率的に情報を集める
> ことができる。「ビジネスにお
> いて」など目的を書くと、よ
> りくわしい回答を得られる。

🌐　コンサル業界は多様で広範な分野をカバーしていますが、ビジネスにおいてコンサ
ル業界を分析する際に考慮すべき重要な観点は以下のようになります:

1. 市場のトレンドと成長率: コンサル業界は絶えず変化しており、新しい技術やビ
   ジネスの進化に応じて成長しています。市場のトレンドを理解し、成長率を把
   握することは重要です。

2. 主要なプレーヤーと競合状況: 主要なコンサルティング企業
   を把握し、彼らのビジネスモデル、特徴、得意分野、顧客
   で、競合状況を理解できます。

> 何を調べたらいいか
> わからないときは
> ChatGPTに聞くのが
> 効率的ですね!

3. サービスの提供領域: コンサルティング会社は戦略コンサルティン
   イング、人事コンサルティング、マーケティングコンサルティングなどさまざまなサービス
   を提供しています。どの領域が特に成長しているのか、需要が高いのかを調査し
   ましょう。

4. 顧客層と市場セグメント: コンサルティングの顧客層は企業だけでなく、政府機
   関や非営利組織など多岐にわたります。市場セグメントごとに需要と競争状況
   を把握することが重要です。

ビジネス戦略のプロセスに関しても、ChatGPT に質問し活用することで企画立案に大きな手助けとなります。例えば、「コンペで案件を勝ち取るため」という目的をプロンプトに入力すると、ChatGPT が適切な回答を提供してくれます。回答の中で気になる点や具体的に知りたい部分があれば、何度も質問を繰り返し、深掘りする方法もおすすめです。

戦略のプロセスを知る

も　社内でビジネスコンテストのコンペがあります。
新しい商品のコンペで、案件を勝ち取るためにどのような戦略を練ればいいでしょうか。

> 「コンペがあります」や「案件を勝ち取るため」といったシチュエーションや目的を入力。戦略についてより実用性の高い回答が得られる。

ビジネスコンテストで新しい商品案件を勝ち取るための戦略が、以下の手順や考え方を参考にすると良いでしょう。

1. マーケット調査と競合分析を行う: 新しい商品を導入する前に、ターゲット市場の需要と競合状況を理解することが重要です。市場調査と競合分析を通じて、どのようなニーズや潜在的なチャンスが存在するのかを把握しましょう。

2. 独自性を追求する: コンペで勝ちたい場合、他社との差別化が不可欠です。商品の特長や利点を明確にし、他社との比較で差をつけるようにしましょう。顧客にとってのメリットや付加価値を示すことが重要です。

3. ビジネスモデルを構築する: 新しい商品を提案するだけでなく、ビジネスモデルも重要です。商品の収益性や競争力を高めるために、費用構造や収益モデルを検討しましょう。収益源やコスト削減策、販売チャネルなどを考えることが重要です。

4. プレゼンテーションを準備する: 効果的なプレゼンテーションは、ビジネスコンテストで勝利するために必要です。商品の魅力を伝えるために、分かりやすく、具体

One point

回答を 1 つずつ深掘りしていくことで、さらに分析や課題の解決につながります。「どのような分析をすればいいですか?」や「提案してください」など ChatGPT にどんどん聞いてみましょう。

> あらかじめプロセスを聞くことで、安心して戦略を考えることができるね!

ターゲットの調査や市場を分析する

市場のニーズやトレンド、動向などの分析も、ChatGPTを駆使すればいち早く情報を手に入れることができます。

情報収集のターゲットが決まったら、さらに**市場分析**や**ニーズの調査**を行う必要があります。そうした情報収集においても、ChatGPTを有効活用することができます。ChatGPTに対して適切な質問や指示を与えることで、**市場における競合他社の動向や顧客のニーズ、トレンドについての考察を得る**ことができます。

特定の市場を分析する

 電気自動車の市場動向を教えてください。

> 「○○業界について、市場動向を教えてください。」と入力すると、知りたい業界の市場について基本的な情報を得られる。具体的な情報は回答の中から深掘りしていこう。

申し訳ありませんが、私の知識は2021年9月まで〇〇〇〇向については正確な情報を提供することができませ〇〇〇気自動車（EV）市場についての一般的な動向をお伝えすることはできます。

2021年時点での電気自動車の市場動向は以下のようなものでした：

1. 成長：電気自動車の需要は着実に増加しており、環境への配慮やエネルギーの効率性に対する意識の高まりが原動力となっています。多くの国で政府がEVの普及を後押しする補助金や税制優遇措置を導入しているため、市場拡大が加速しています。

2. 自動車メーカーの参入：多くの伝統的な自動車メーカーや新興のテクノロジー企業が電気自動車の製造に参入しています。これにより、競争が激化し、新しいモデルが相次いで発表されています。

3. 充電インフラ：充電インフラの整備はEV〇〇〇〇〇〇〇〇〇〇で充電ステーションの設置が進んでおり〇〇〇

4. バッテリー技術：EVの性能向上と航続〇〇〇〇〇〇〇〇によるものです。より高容量で効率の良いバ〇〇〇〇

> ChatGPTの情報は2021年9月までのデータベースのため、不明瞭な部分もあります。注意しましょう。

情報分析に役立つプロンプト

● ニーズと課題点を知る

> 電気自動車業界において、顧客のニーズと課題点を教えてください。

「ニーズと課題点を教えてください。」と入力すると、業界のターゲットや、新しい提案のヒントになる情報が得られる。

> ⑤ 電気自動車業界において、顧客のニーズと課題点は以下の…
>
> 顧客のニーズ：
>
> 1. 環境への配慮: 環境への影響を少なくする車両への需要が高まっています。顧客は持続可能性を重視し、排出ガスや燃料消費量の低い車両を求めています。
> 2. 航続距離の向上: 顧客は長距離の移動ができる電気自動車を求めています。航続距離が長いEVは、充電の頻度を減らすことができ、利便性が向上します。

企画書や資料づくりに必要な情報をChatGPTで調べられます。

情報分析のリサーチとして、最新情報を知ることは重要です。「最先端のトレンドを教えてください」と入力し、動向を確認しよう。

● トレンドを知る

> 電気自動車業界において、最先端のトレンドを教えてください。

> ⑤ 2021年9月時点での最先端のトレンドを以下に挙げます。ただし、2年以上経過しているため、最新の動向については専門家の意見や信頼性のある情報源を参照することをお勧めします。
>
> 1. 高性能のバッテリー技術: 電気自動車の性能を向上させるために、高容量かつ高効率なバッテリー技術の開発が進んでいます。より長い航続距離や短い充電時間を実現することが目指されています。
> 2. 自動運転技術の進化: 自動運転技術は自動車業界全体で重要なトレンドですが、電気自動車においても進化が進んでいます。センサー技術やAIの進展により、自動運転レベルが向上し、安全性と利便性が高まっています。

05 新しいアイデアを 提案してもらう

アイデアを生み出すには多くの時間や努力が必要ですが、ChatGPT は実用性の高いアイデアを出してくれます。

アイデアや新しい企画を考える際に、しばしば思い悩むことがありますが、ChatGPT は自分では思い付かなかった**アイデアを提案**してくれたり、ヒントを与えてくれたりします。**「もっと革新的なアイデアがほしい」といった漠然とした要望でも問題ありません。**具体的な情報や目的、ターゲットなどを伝えれば、より現実的なアイデアを出してくれる可能性が高まります。

アイデアとなるヒントを引き出す

も　30代女性を対象とした、自己啓発本のアイデアを10個教えてください。

> 漠然とした前提条件でもアイデア出しが可能。「思わず買いたくなる」「斬新な」「今までにない」などニュアンスだけでもOK。アイデアのヒントとなるものが見つかる可能性がある。

　自己啓発本は人々が成長し、ポテンシャルを最大限〔…〕要なツールです。以下は30代の女性を対象とした自〔…〕す：

1. 「自分らしさの発見」：自分の強みや価値観を理解し、自己認識を高める方法に焦点を当てる本。キャリア、人間関係、ライフスタイルなどに活かすヒントを提供。
2. 「ストレス解消のためのマインドフルネス」：忙しい現代社会でスト〔…〕し、心の平穏を見つけるためのマインドフルネス瞑想や実践的な〔…〕解説。
3. 「キャリアアップのステップアップ」：キャリアの向上を目指し、自信を持って〔…〕を達成するための戦略やキャリアプランニングについてのガイド。
4. 「健康的なライフスタイルの構築」：バランスの取れた食事、運動、ストレスマネジメント、睡眠の重要性など、健康的なライフスタイルをサポートするアドバイス。
5. 「ポジティブ思考の育成」：ネガティブな思考パターンを乗り越え、ポジティブなマインドセットを育むための実践的なツールとエクササイズ。

> 適当な質問でもこんなに多くのアイデアを生成してくれるんですね……！

アイデア出しのコツ

● 必要な情報を与える

 あなたは凄腕の編集者です。下記の条件で、本のアイデアを5つ出してください。
・人生のキャリアの目標を達成するための自己啓発本
・20代後半から30代の独身男性向け
・将来に不安を持っている人 ●
・転職を考えている人

> 質問者の立場や、具体的な条件、目的、ターゲットなどより細かい情報を盛り込んだうえで「アイデアを出して」と聞き出すやり方が◎。

 もちろん、お手伝いいたします！以下は、人生のキャリアの目標を達成するための自己啓発本で、20代後半から30代の独身男性向けで、将来に不安を持っている転職を考えている人向けのアイデアを5つ提案します：

1. 『転職成功の法則：自分を知り、輝くキャリアを築く』
   この本では、読者に対して自己理解の重要性を強調し、自分の価値観、能力、興味を明確化する方法を紹介します。また、成功した転職の秘訣や適職

● アイデアをもとにニーズをブレストする

 『キャリアチェンジのマスタープラン』という転職を考えている人に向けた本を作っています。
ニーズをブレストしてください。

> アイデアに具体性を持たせるため、ニーズをブレストし、企画の方向性の整理や、企画書作成に役立つ情報が手に入る。

 素晴らしい取り組みですね！『キャリアチェンジのマスタープラン』という転職を考えている人に向けた本を制作するためのニーズをブレストします：

> ニーズをブレストすることでアイデアを出すための準備にもなるね！

 的なステップガイド: 転職を考える人は、具体的な行動計画とステップバイ
ップのガイダンスが必要です。ニーズとして、読者がすぐに実践できる具体的なステップを盛り込むことが重要です。履歴書の書き方や面接対策、求人情報の収集方法など、実践的なアドバイスが含まれることで、読者が自信を持って転職に挑戦できるでしょう。

2. 心理的サポートとモチベーション: 転職は大きな変化であり、不安や心理的な障壁に直面することがあります。ニーズとして、心理的なサポートとモチベーションを提供する章やセクションを含めることが重要です。成功した転職者の体験談や乗り越えた困難などを取り入れ、読者の自信を高めるような要素を取り入れる

06 企画書の下書きをつくる

企画書のフォーマットを簡単に作成することが可能です。構成内容を指定するだけでほしい情報がまとまります。

情報収集や、市場やターゲットのリサーチなど、企画やアイデア出しの補助としての活用のほかに、企画書の作成も可能です。企画書づくりの最初の工程として**フォーマットの提案**をしてくれます。この際には**「〇〇の新商品に関する企画書」**のように、**プロンプトには具体的な内容を入力するのがポイント**です。また、構成や内容を指定して、企画書に落とし込むことも可能です。

フォーマットをつくる

> あなたは化粧品会社の商品開発部門に務めています。男性用の下地クリームの新商品に関する企画書をつくってください。

新商品についての企画書であれば、どんな新商品か具体的に提示すると◎。「企画書をつくって」と指示すると、背景や目標、ターゲットの市場など、ChatGPTが自動的に調べて生成してくれる。

件名: 男性用下地クリーム新商品企画書

【概要】
この企画書は、弊社化粧品会社が男性向けに開発する新商品である「男性用下地クリーム」に関する企画を提案するものです。男性の肌の特性やニーズに応えるために、高機能かつ快適な使用体験を提供する商品を目指しています。

【市場調査】
男性の美容意識が高まっており、特にスキンケア市場においても成長が見られることから、男性向けの化粧品市場は拡大しています。現在、下地クリームは主に女性向けに展開されていますが、男性向けの製品は□□□□□□□市場でのニーズは高いと考えられます。

【ターゲット市場】
・20代後半から40代の男性
・自分自身の外見やスキンケアに関心がある男性

「企画書をつくって」と指示しただけなのに、完成度の高い企画書がすぐにでき上がりましたね!

構成を指定して企画書をつくる

> あなたは化粧品会社の商品開発部門に務めています。男性用の下地クリームの新商品に関する企画書を作りたいです。下記のフォーマットから、企画書を作成してください。
>
> #概要
> #市場分析
> #サービス概要
> #ビジネスモデル
> #販促

企画書に入れてほしい要素を入力する。ここでは、概要・市場分析・サービス概要・ビジネスモデル・販促の5つの構成とした。要素は「#」を行頭に入れると大見出しのスタイルで表示される。

概要

本企画書では、男性向けの新商品「メンズパーフェクトアンダー」の開発について提案します。この商品は、男性の肌の悩みを解消し、化粧品市場において成功を収めることを目指します。

市場分析

1. 男性化粧品市場の成長：近年、男性の美容意識が高まっており、男性化粧品市場が拡大しています。特に、肌のトーンアップや肌荒れの改善を求める男性が増加しています。
2. 競合他社の製品：既存の男性用下地クリームは限られた種類しかなく、肌のトーンアップ効果や保湿効果に重点を置いています。しかし、肌のカバー力や長時間持続する製品はまだ不足しています。
3. ターゲット市場：若い社会人層やメイク初心者の男性、特にオフィスやイベントなどでメイクを行う機会の多い男性を主なターゲットとします。

サービス概要

「メンズパーフェクトアンダー」は、男性の肌に特化した下地クリームです。次の特徴を持ちます：

1. カバー力と自然な仕上がり：男性の肌悩みをカバーするための高いカバー力を提供し、自然な仕上がりであることを重視します。
2. 長時間持続：一日中崩れにくい性能で、忙しい男性でも安心して使用できるよう設計されています。
3. 保湿とスキンケア：肌を保湿し、スキンケア効果を持つ成分を配合し、肌荒れ

ほしい情報だけ
企画書に落とし込むことが
できて、とても便利！

5

ビジネスで使える ChatGPTの有効活用術

07

アジェンダを作成し
会議をスムーズに動かす

イベントや会議をスムーズに行うために欠かせないのがアジェンダです。これも ChatGPT で作成しましょう。

初めて**アジェンダ**を作成したり、自分で流れを決めたりすると時間がかかる作業ですが、ChatGPT は具体的で効果的なアジェンダを生成してくれます。**会議のアジェンダであれば、議論の内容や、進行における時間配分などが提示されます。** 会議の目的や参加人数、時間など具体的な条件を提示すれば、さらにクオリティの高いアジェンダを短時間で生成することが可能です。

構造を提案する

 ChatGPTを題材にしたセミナーをやります。アジェンダをつくってください。

> 端的に「○○のアジェンダをつくって」と指示するだけで、トピックや進行の流れが表示される。

素晴らしいですね！ChatGPTを題材にしたセミナーは非常に興味深くなるでしょう。以下は、アジェンダの一例です：●━━━

セミナータイトル：ChatGPTを活用した人工知能の可能性

1. イントロダクション
a. 司会者の自己紹介
b. 参加者の自己紹介（アイスブレイク）

> 何をすればいいかわからず、経験がない人は、ChatGPTに聞くだけで勉強になりますね！

2. 人工知能とChatGPTの基礎
a. 人工知能とは何か？
b. ChatGPTの概要とGPT-3.5アーキテクチャについて
c. ChatGPTのトレーニングと開発の背景

3. ChatGPTの応用事例
a. テキスト生成とコンテンツ作成における活用事例
b. 自然言語処理タスクへの応用

具体的なアジェンダ作成

 新規プロジェクトについての会議を開きます。
以下の内容を踏まえてアジェンダを作成してください。
議論の進行順に箇条書きにしてください。
時間配分も必ず付記してください。

> 会議の目的や、参加者、時間など具体的な情報を入力することで、会議のトピックについて具体的なアジェンダが生成される。時間配分のタイムスケジュールも入れられる。

#会議の目的
各チームメンバーの役割と責任を明確にする

#会議の参加者
・プロジェクトマネージャー：1人
・チームリーダー：5人

#会議の時間
・60分
・対面形式

> 時間配分も提示されることで、より会議の流れがつかめるようになります！

 会議のアジェンダ：

1. プロジェクトの概要と目的の確認 (10分)
   * プロジェクトの目的と重要性を再確認する。
   * 各チームメンバーにプロジェクト全体のビジョンを共有する。
2. 役割と責任の共有 (25分)
   * プロジェクトマネージャーが各チームリーダーの役割と責任を説明する。
   * チームリーダーが自身の担当範囲と役割を明確に理解し、質問や不明点を確認する。
3. チームメンバーの期待と貢献について (15分)
   * プロジェクトマネージャーが各チームメンバーに期待する点と役割について説明する。
   * チームメンバーが自身の役割に対してどのように貢献できるかを共有する。
4. コミュニケーションと報告について (10分)
   * プロジェクトマネージャーがコミュニケーションのルールと報告体制について説明する。

> 会議の人数が多い場合、「役割分担を教えてください」と入力すると、誰が何をすればいいのか回答してくれます。円滑に会議を進めることができますね！

08 箇条書きから 日報をつくり出す

日々の業務の成果などを報告するために重要な日報は、ChatGPTを活用しスムーズに作成しましょう。

1日の業務や情報共有、明日の目標を書き込む日報。業務の時間や所感、明日の目標、改善点など記入することがたくさんあり、書き慣れていないとなかなか時間がかかる作業の1つです。ChatGPTは、こうした**日報の作成**もアシストが可能で、**箇条書きのメモから日報の形式に落とし込むことができます**。日報の作成業務が格段にラクになり、時短となるでしょう。

日報にするためのフォーマット

> も あなたは営業部の社員です。以下の箇条書きの内容から日報をまとめてください。
>
> ・9:00〜10:00　メール対応をした。特に大きな問題はなし
> ・10:00~12:00　A社に行って打ち合わせをした。新規顧客へのアプローチについて話し合った。A社からの質問に対して、うまく対応できたと思う。
> ・13:00~14:00　チームミーティングをした。進捗報告や課題料の不備があり、今後気を付けたい。
> ・14:00~18:00　営業資料の作成。あともう少しで終わり
>
> #制約
> ・各作業項目に対する所感を100文字以内で生成
> ・入力文から想像できる気づきや学び、発見を入れる
> ・あいまいな言葉は使わず断言する
>
> #出力
> 1、　本日の業務
> 時間ごとに表組みにする
> 2、　業務の所感
> 所感1）：
> 所感2）：
> 所感3）：
> 所感4）：

時系列に行った業務について箇条書きに書き込む。その際、詳細の内容や感想や気づきなどを一言でも入れておくと所感に反映される。

制約として、文字数や口調などを指定すると、日報に合った文章になる。

最後に希望する出力形式を「#出力」の中に書き込む。ここでは、「本日の業務」と「業務の所感」を生成させるため、このように入力した。

1、本日の業務：

プロンプトに「表組みに」と入力したため、表形式で生成された。ただし、業務内容の文章は日報の内容にそぐわないため、自分で修正する必要がある。

時間	業務内容
9:00〜10:00	メール対応をした。特に大きな問題はなし。
10:00~12:00	A社に行って打ち合わせをした。新規顧客へのアプローチについて話し合った。A社からの質問に対して、うまく対応できたと思う。
13:00~14:00	チームミーティングをした。進捗報告や課題の共有を行った。資料の不備があり、今後気を付けたい。
14:00~18:00	営業資料の作成。あともう少しで終わりそう。

2、業務の所感：●

箇条書きで書いた部分が、所感の文章として修正され、書き加えられている。

所感1）メール対応はスムーズに進み、特に問題はなかった。迅速な対応を心掛けることで、クライアントの信頼を高めることが重要だと感じた。

所感2）A社との打ち合わせは成功だった。自社の提案に自信を持ちつつ、相手の質問に的確に答えられる準備が必要だと実感した。

所感3）チームミーティングでは進捗状況を把握し、課題を共有できた。資料の不備は反省点であり、次回からはより慎重に確認することを学んだ。

所感4）営業資料の作成は順調だが、集中力を持続させることの重要性を再認識した。スケジュールを守り、品質を保つ努力が必要だ。

所感5）本日の業務を振り返り、顧客とのコミュニケーションや資料作成の重要性を再確認した。効果的な営業活動に向けて日々成長する必要がある。

箇条書きで入力していない情報だが、日報に必要な要素を自動的に追記してくれた。

自分で書いていないのに、簡単に日報を生成してもらえました……！これを参考に手直しすれば完璧ですね！

09 文字起こしの文章を きれいに整える

文字起こししたテキストは、ChatGPTで句読点を入れたり、口癖を取ったり、文章を整えることが可能です。

会議や打ち合わせ、発表、講演会、取材などにおいて、音声を録音し文字起こしを行った文章を整えたい場合があります。**音声ファイルの文字起こし後にChatGPTを用いて文章校正を行うと、より早く整った文書を生成する**ことが可能です。句読点や改行を入れて整えたり、文書として必要のない「えー」や「やっぱり」などの口癖を取ったりすることができるのです。

句読点を入れて読みやすくする

以下の文章を、句読点や改行を入れて、読みやすく修正してください。
えっとですねその原因はいろいろあるんですけど一番の要因はなんといっても人口の減少や高齢化都市への集中とかが大きいですんーやっぱり人が減っちゃ空き家も増えるわけででもこの空き家問題は景観の悪化だけじゃなくて経済影響がやっぱり出てしましまうんですよう空き家が増えると地域の魅力もちゃうし若者や外からの人も来なくなるしあとは周りの施設とかサービスも維るのが難しくなりますよねんー地域全体がダメージを受けちゃうこともあるんでのでこの問題を解決するにはやっぱりまずは空き家の管理と再利用につい

> 句読点が何もない文章は、「句読点や改行を入れて」と指示をすれば、文章はそのままに、句読点や段落が追加される。

えっとですね、その原因はいろいろあるんですけど、一番の要因はなんといっても人口の減少や高齢化、都市への集中とかが大きいです。んー、やっぱり人が減っちゃったら空き家も増えるわけで、でもこの空き家問題は景観の悪化だけじゃなくて、経済にも影響がやっぱり出てしましまうんですよ。うん、空き家が増地域の魅力も下がっちゃうし、若者や外からの人も来なくなるし、あとにとかサービスも維持するのが難しくなりますよね。んー、地域全体がダメージを受けちゃうこともあるんです。なので、この問題を解決するにはやっぱりまずは空き家の管理と再利用についてちゃんと戦略を考えないといけないんです。うん、一つのアイデアとしては、住宅ローンとか税金の優遇措置とかを導入してね、誰でも空き家を買って活用しやすくするっていう手があるんです。うん、あとそれと地域のコミュニティやNPOとも協力しないとだめですね。うん、地域ごとに再利用プロジェクトを進めて、地域の元気を取り戻すのがやっぱり大事なんです。

> とても読みやすくなりましたね！

口癖を取り、文章を整える

 インタビューの文字起こしを整えたいです。
以下の文章で、不要な文字をカットして、整えてください。

不要な文字
・「えーと」「えー」「んー」「うん」など
・「やっぱり」「えっと」などの言葉の噛み
・頻出する口癖

> 書き起こす必要のない言葉は、文字を指定して指示する。ここでは、文章から「えーと」や「えー」「うん」などの文字や、頻出する口癖を指定。すると、指示通りに読みやすい文章が生成された。

文章
えっとですね、その原因はいろいろあるんですけど、一番の要因はなんといっても人口の減少や高齢化、都市への集中とかが大きいです。んー、やっぱり人が減っちゃったら空き家も増えるわけで、でもこの空き家問題は景観の悪化だけじゃなくて、経済にも影響がやっぱり出てしましまうんですよ。うん、空き家が増えると地域の魅力も下がっちゃうし、若者や外からの人も来なくなるし、あとは周りの施設とかサービスも維持するのが難しくなりますよね。んー、地域全体がダメージを受けちゃうこともあるんです。なので、この問題を解決するにはやっぱりまずは空き家の

その原因はいろいろあるんですけど、一番の要因はなんといっても人口の減少や高齢化、都市への集中とかが大きいです。人が減っちゃったら空き家も増えるわけで、でもこの空き家問題は景観の悪化だけじゃなくて、経済にも影響が出てしまうんですよ。空き家が増えると地域の魅力も下がっちゃうし、若者や外からの人も来なくなるし、あとは周りの施設とかサービスも維持するのが難しくなりますね。地域全体がダメージを受けちゃうこともあるんです。なので、この問題を解決するにはまずは空き家の管理と再利用についてちゃんと戦略を考えないといけないんです。一つのアイデアとしては、住宅ローンとか税金の優遇措置を導入して、誰でも空き家を買って活用しやすくするっていう手があります。あとそれと地域のコミュニティやNPOとも協力しないとだめですね。地域ごとに再利用プロジェクトを進めて、地域の元気を取り戻すのが大事なんです。

> 文章を整えたあとは、要点を整理したり、分析したり、文書作成をサポートしてくれます!

> 日本語の場合は2500文字程度を超えると、エラーが出てしまうので、注意しましょう!

プレゼン資料の構成を考える

パワーポイントを使ったプレゼン資料も ChatGPT を使えば、簡単に作成することができます。その活用術を紹介します。

プレゼンテーション資料をつくるとき、パワーポイントで作成する人が多いでしょう。こうした資料づくりにも ChatGPT は大きく役に立ちます。**スライドの構成**を考える場合は、**「構成を考えて」と指示すればスライドごとのトピックや内容について生成してくれます。** さらにプレゼン時の説明文も生成でき、スライドごとの**レイアウト**までアドバイスをしてもらえます。

スライドの構成を考える

 初心者向けに「ChatGPTの活用」というテーマについてプレゼンをします。
その際に使うスライド資料の、導入から締めまで構成を考えてください。
主なテーマは、アカウントの登録方法と基本的な使い方です。

> 「スライド資料の、導入からクロージングまでの構成を考えてください」と入力すれば、スライドの構成を瞬時に生成してくれる。

プレゼン「ChatGPTの活用：アカウント登録方法と基本的な

スライド構成:

1. タイトルスライド
   - プレゼンのタイトルと発表者の名前を表示
2. 自己紹介
   - 発表者の名前と所属を簡単に紹介
3. 目次
   - プレゼンの構成を示す目次
4. ChatGPTとは？
   - ChatGPTの概要と基本的な説明
   - GPT-3.5の特徴や利点の説明
5. アカウント登録方法
   - 登録手順の説明

> スライドのタイトルや必要な情報まで教えてくれます！

● スライドごとの説明文を教えてもらう

 スライドごとの説明文を教えてください。

 もちろん、以下にスライドごとの説明文を示します。各スライドの内容は、プレゼンテーションの流れに合わせて説明やデモを交えて進めることを想定しています。

スライド1: タイトルスライド
[プレゼンのタイトルと発表者の名前を表示]

> スライドごとに、説明するべきことが箇条書きで生成された。原稿を作成したいときは「台本をつくって」と指示すると語り口調の文章が生成される。

スライド2: 自己紹介
[発表者の名前と所属を簡単に紹介]

スライド3: 目次

* ChatGPTの活用：アカウント登録方法と基本的な使い方
  1. ChatGPTとは？
  2. アカウント登録方法
  3. 登録後の利用方法
  4. ユーザーインターフェースの概要

> 各スライドに載せるグラフやグラフィック、レイアウトについてイメージを文章で教えてくれる。どんな情報を見せる必要があるのか確認にもなる。

● スライドごとのレイアウトを考えてもらう

 スライドごとのデザインイメージを教えてください。

 もちろん、以下に各スライドのデザインイメージを示します。デザインはシンプルかつ視覚的に分かりやすくなるよう心掛けました。

スライド1: タイトルスライド

プレゼンのタイトル「ChatGPTの活用：アカウント登録方法と基本的な使い方」を中央に配置
* バックグラウンドにChatGPTのアイコンやAI関連のイメージを使用

スライド2: 自己紹介

* 発表者の名前と所属を中央に配置
* プロフィール写真や会社ロゴを右側に配置

> スライドの見せ方で悩む時間が大幅に減らせるね！

想定される質問事項を教えてもらう

顧客対応や企画会議において、想定される質問や懸念点などをChatGPTに聞いておきましょう。

ChatGPTに**質問をつくってもらう**ことで、自分では気づけなかった視点を教えてくれたり、相手から質問されそうなことに対して準備しておくことができます。例えば**新商品について販売営業をする際、購入者から聞かれそうな質問など、ChatGPTから具体例を挙げてもらえます。**また、企画書をChatGPTに入力し、企画会議での想定される懸念点などもアドバイスをもらえます。

質問を考えてもらう

 初心者にChatGPTについての活用術を説明した場合、想定される質問はどのようなものがありますか？ ●

> 「想定される質問はどのようなものがありますか？」と質問をすると、具体例を生成してくれる。これらの回答を準備しておくことが可能だ。

 初心者がChatGPTについて活用する際に想定され□□□□□□があります：

1. ChatGPTとは何ですか？
2. ChatGPTはどのように動作しますか？
3. ChatGPTはどのように学習されましたか？
4. ChatGPTを使用するための前提条件はありますか？
5. ChatGPTを利用するための料金はかかりますか？
6. ChatGPTの主な用途は何ですか？
7. ChatGPTはどのようにしてコントロールされていますか？
8. ChatGPTを活用する際にプライバシーは守られますか？
9. ChatGPTは他のAIツールとどう違いますか？
10. ChatGPTの利用において注意すべき点は何ですか？
11. ChatGPTにどのような言語のサポートがありますか？

> 急な質問に備えておくことができますね！

企画書を確認してもらう

> も　新商品についての企画書を発表します。
> この企画書の内容で指摘されたり、聞かれそうなことを教えてください。
>
> 【企画書】男性用下地クリーム新商品
>
> 概要
> 本企画書は、男性向けの下地クリーム新商品の開発と販売に関す○○
> 提案するものです。男性の肌に特化した高品質な下地クリームを提○○
> で、市場のニーズに応え、競争力のある製品を展開することを目指し○○
>
> 市場分析
> 男性の美容意識が高まり、化粧品市場における男性向け商品の需○○
> しています。特に男性用下地クリームは、肌のトーン補正や皮脂のコ○○
> ど、男性が求める肌のトラブル解消に効果的です。市場規模は着実に成長して
> おり、今後も拡大が予測されます。
>
> 競合他社の男性用下地クリーム製品を調査した結果、一部には肌の特性に
> 合わせた成分や仕様を取り入れているものもありますが、まだまだ改善の余地が
> あります。我々は、男性の肌に特化した高品質な下地クリームを提供すること
> で、市場での差別化を図ることが可能です。

企画書の概要を許される範囲で提示し、想定される質問は何かを聞けば、企画書に対する指摘や不十分な部分などを生成してくれる。企画会議で聞かれそうなところもしっかりと対応が可能だ。

> 以下は、この企画書に対して指摘されたり、聞かれる可能性がある点です：
>
> 1. ターゲット市場の具体的な分析: 企画書では男性の美容意識が高まり、需要
>   が増加していると記載されていますが、より具体的なターゲット市場の分析が求
>   められるかもしれません。どの年齢層の男性をターゲットにするのか、どの地域や
>   国が主要市場となるのかなど、詳細な市場分析が必要です。
> 2. 競合他社との比較: 競合他社の下地クリームとの比較を深堀りすることが望ま
>   れるでしょう。競合他社の製品との差別化ポイントを○○
>   で、新商品の優位性を強調することができます。
> 3. 商品の特徴と利点: 企画書には男性の肌に特化○○
>   提供するとありますが、具体的にどのような特徴や利点○○
>   的に示す必要があります。たとえば、特定の成分の利用や肌の悩みに対する
>   効果を示すといった具体的な情報が求められるかもしれません。
> 4. 製品の安全性と効果の証明: 新商品として信頼性を高めるためには、製品の
>   安全性と効果に対する十分なデータやテスト結果を示すことが必要です。製品

企画書の修正にもなるし、会議での質問攻めにも対応できそうですね！

謝罪文や顛末書などを作成する

作成に時間がかかる謝罪文や顛末書は、ChatGPTを有効に活用し、相手に誠意が伝わる文書を作成しましょう。

謝罪文や**顛末書**の作成は、適切な言葉選びや文体の使い方に悩むことがあるでしょう。ChatGPTに定型文や、内容に沿った文章を生成してもらうことができます。そのまま「謝罪文をつくって」と指示するだけでも可能ですが、**具体的な目的の説明のほかに、逆にどんな要素が必要か、ChatGPTに質問してもらう**というやり方も有効です。

謝罪文を作成してもらう

> も　自社のサービスの不具合や品質問題について謝罪文を作成したいです。

> 🟢　もちろん、自社のサービスの不具合や品質問題についての謝罪文の例を以下に示します。以下のテンプレートを参考にして、具体的な情報を追加してください。
>
> 件名：大切なお知らせとお詫び
>
> いつも弊社のサービスをご利用いただき、誠にありがとうございます。この度、お客様に重要なお知らせと深いお詫びがございます。
>
> （不具合または品質問題の内容をここに簡潔に説明してください。具体的な問題点や影響を詳細に記載します。）
>
> お客様の信頼を大切にし、常に最高の品質を提供することを使命としておりますが、今回の問題によりお客様に多大なご迷惑とご不便をおかけいたしましたこと、心よりお詫び申し上げます。
>
> （問題の原因や対策についての状況を率直に説明し□後の改善策や予防策についても触れます。）

「○○の謝罪文をつくって」と指示するだけで謝罪文が生成される。どんな内容の謝罪か具体例を入力すれば、より実用性の高い謝罪文を作成することができる。

必要な情報を逆質問してもらう

も 自社のサービスの不具合や品質問題について謝罪文を作成したいです。顛末書を作成するうえで、必要な条件や内容がある場合は、私に質問をしてください。●

> 「必要な条件や内容がある場合は、私に質問をしてください」と入力すると、必要な情報について質問が生成された。これをもとに情報を集めていこう。

謝罪文の作成に際して、以下の情報が必□
て、謝罪文を作成します。もしさらなる詳細が必要な場合は、遠慮なくお知らせください。

1. 不具合や品質問題の内容：具体的にどのような問題が発生したのか、詳細に教えてください。
2. 問題の影響：顧客や利用者にどのような影響が及んだかをお知らせください。
3. 問題が発生した期間：不具合が発生した期間や問題が判明した時点を教えてください。
4. 原因：問題が発生した原因について、可能な範囲で説明してください。
5. 今後の対策：同様の問題を防ぐために、今後どのような対策を講じるかを教え

> ChatGPTに質問してもらうことでプロンプトとして必要な情報を効率的に探すことができますね！

【謝罪文】

尊敬するお客様へ、●

> 質問に回答すれば、その内容の顛末書が生成される。

私たちのオンラインストア「ABCショップ」をご利用いただき、誠にありがとうございます。この度は、2023年1月1日から1月2日の間に発生したオンラインストアにおける不具合と品質問題について、心よりお詫び申し上げます。

問題の内容として、お客様が商品をカートに追加しても、決済手続きが正常に完了せず、注文が確定しないという不具合が発生しておりました。具体的には、以下のような影響が発生しておりますことを重く受け止めております。

1. 注文履歴ページに一部の注文情報が表示されない。
2. 注文確認メールが一部の顧客に送信されない。

これにより、お客様のショッピング体験に大変なご迷惑をおかけいたしましたこと、深くお詫び申し上げます。

13 インタビューガイドを作成する

インタビューの事前準備として欠かせないインタビューガイド。ChatGPT で質問内容を整理しましょう。

インタビューを行うには、入念な事前準備として、**インタビューガイド**を作成することは基本中の基本でしょう。その際、ChatGPT を活用すれば、簡単**に質問事項を整理することが可能**です。インタビューの目的やテーマを入力し、「インタビューガイドをつくって」と指示するだけで生成され、さらに質問内容をカテゴライズして要点を把握することもできます。

インタビューガイドを作成する

も　経済学の教授に物価高についてインタビューします。インタビューガイドをつくってください。

🔷　経済学の教授に物価高についてインタビューする際のガイ～　す。このガイドをベースに、具体的な質問やフォローアップを～　を得ることができるでしょう。

> 「インタビューガイドを作成してください」と入力すると、テーマに沿った質問項目が生成される。何を質問すればいいのかアドバイスをしてくれる。

1. 導入
   a. 教授に簡単な自己紹介をしていただき、専門分野と物価高に関連する研究や経験について教えてもらいます。
2. b. 物価高とは何か、それが経済に与える影響について、教授の～　します。
   物価高の原因
3. a. 現在の物価高の主な原因について、教授の考えをお聞きします。
   b. 物価の上昇に影響を与える内部要因と外部要因についても詳しく教えてもらいます。
4. インフレーションとの関係
   a. 物価高とインフレーションの違いについて、教授の説明をお聞きします。
   b. 物価高とインフレーション率の相関関係についての見解を教えていただきま

> 何を聞けばいいか全体を把握できて助かりますね！

そのほかの基本の使い方

 経済学の教授に物価高についてインタビューします。下記の条件を踏まえて、インタビューガイドをつくってください。
・質問項目をカテゴライズしてください。
・質問事項は10個

条件として「質問項目をカテゴライズしてください」を提示すると、質問の内容が分類されて、質問の全体像を捉えることができる。さらに質問の個数を指定することで、より精度が高くなる。

インタビューガイド：物価高についての経済学の

カテゴリー1: 物価高の原因と要因

1. 物価高の主な原因は何だと考えられますか？
2. 物価高に影響を与える主な経済要因はどのようなものがありますか？
3. インフレーションと物価高の違いは何ですか？物価高を引き起こすインフレーションのメカニズムについて説明してください。

カテゴリー2: 政府の役割と対策
4. 政府は物価高に対してどのような役割を果たすべきだと考えますか？

1. 物価高への対応策として、中央銀行がどのような手段を取ることができるのでしょうか？
2. 政府としてインフレーションを抑制するための効果的な政策はありますか？

カテゴリー3: 物価高の経済への影響
7. 物価高が経済全体に及ぼす影響について教えてください。ポジティブな影響も含めて説明してください。

1. 物価高は個人や家計にどのような影響を及ぼす可能性がありますか？
2. 物価高が企業や産業に与える影響について具体的な例
さい。

カテゴリー4: 物価高の予測と回避
10. 物価高を予測するために経済学者が
えてください。また、これらの予測の信頼性

以上が物価高について経済学の教授に
ュ─する際の質問ガイドです。こ
、経済学の専門知識　　に基づく貴重な洞察を得ること

さらに「足りない要素はありますか？」と質問することで、よりしっかりとしたインタビューガイドを作成できますよ！

カテゴリごとに質問内容が生成された。

14 アンケートリストを作成する

目的に合ったデータや回答を得るためには、しっかりとしたアンケートをつくる必要があります。ChatGPTを有効活用しましょう。

アンケートの作成は、アンケートの設問づくりや、目的や用途に合わせた形式の検討など、考えておくべきことがたくさんあります。ChatGPTは、**アンケートの対象や目的をざっくりと入力するだけで、アンケートの質問事項を生成することが可能です。**また回答も選択形式に指示することもでき、ChatGPTは質問事項と回答まで簡単に生成できます。

アンケートの項目を生成する

> も 中高年の世代を対象に、高齢の親に対する悩みについてアンケートを実施したいです。アンケートの質問事項を作成してください。

> 🟢 アンケートの質問事項を以下に示します。選択形式ではなく、オープンエンドの質問となっています。
>
> 1. 高齢の親に対する最も大きな悩みは何ですか？（具体的な例を挙げて説明してください。）
> 2. 高齢の親との関係を築く上で、直面している課題はありますか？どのように取り組んでいますか？
> 3. 高齢の親の健康状態や介護の問題に対して、どんな感情を抱いていますそれはあなた自身の生活にどのような影響を与えていますか？
> 4. 高齢の親とのコミュニケーションにおいて、意識していることや工夫していることありますか？
> 5. 高齢の親を支援するために、どんなリソースやサポートが必要だと感じています
>
> 安全面に不安を感じることはありますか？それに対処えていますか？
>
> にするために、日常のスケジュールや仕事との両立に

この中から選んだり、参考にできますね!

アンケートの対象やテーマについて指定して、「アンケートをつくって」と入力すると、複数の項目が生成される。

選択式のアンケートのつくり方

 アンケートを実施します。
下記の内容を踏まえて、質問項目と、必要な文章と、選択肢などを考えてください。

・アンケートの対象は50歳から70歳までの中高年
・アンケートの目的は、高齢の親に対する悩みについて知りたい
・アンケートの構成は、選択式

アンケートの内容を以下のように設計します。

アンケートタイトル：中高年の方々における高齢の親に対〔　〕査

目的：
このアンケートは、50歳から70歳までの中高年の方々が高齢の親に対して抱える悩みや課題を把握し、その解決に向けたサポートや情報提供の可能性を探ることを目的としています。

セクション1: 基本情報

1. あなたの年齢を教えてください。
   ・50歳から54歳
   ・55歳から59歳
   ・60歳から64歳
   ・65歳から69歳
   ・70歳
2. 性別を選んでください。
   ・男性
   ・女性
   ・その他

セクション2: 高齢の親に対する悩み
3. 高齢の親に対して、日常生活のサポートや介護が必要な状況に直面したことがありますか？

・はい
・いいえ

> アンケートの構成を「選択式」に条件を指定すれば、詳細な選択を含むアンケートが生成された。具体的な目的やテーマを入力すれば、精度はさらに高まるだろう。

> 知らない分野でもアンケートをすぐに作成できますね！

15 スピーチや プレゼンの原稿をつくる

朝礼やスピーチで何を話したらいいかわからないときは、ChatGPTに題材と原稿の作成をサポートしてもらいましょう。

朝礼のスピーチの**原稿づくり**は、何を話すかテーマを探すのに時間がかかる場合があるでしょう。そんなとき、ChatGPTに相談すると、アイデアとしていくつものテーマを生成してくれます。また、**原稿の内容を検討し、何を具体的に話せばいいのか、短時間で原稿を作成することが可能**です。何もアイデアが思い浮かばないときはChatGPTを有効活用してみましょう。

朝礼のスピーチを考える

> **も** 朝礼で5分間のスピーチを行います。仕事を通じて成長できることや、人とのつながりを大事にするというテーマで、何か例え話を交えて、原稿案を考えてください。

> 皆さん、おはようございます。
>
> 今日は、仕事を通じて成長し、人とのつながりお話しいたします。
>
> 皆さんもご存知のように、私たちの人生は絶え間ない成長の過程です。仕事もその一環であり、日々の経験や困難な状況を通じて成長し続けることが求められています。私は、その成長の過程で出会ったひとつの素晴らしい例え話をご紹介したいと思います。
>
> それは、竹という植物の成長に関する話です。竹は、土をしっかりと根付かせた後、最初の1年間は地上から何も見えません。しか〔…〕地下ではしっかりと根が広がり、力強く成長しているのです。2年目〔…〕ん。3年目もまた同様です。驚くことに、〔…〕張って成長しているのです。

話したい内容のテーマについて、ざっくりと入力するだけでOK。「何か例え話を交えて」など、具体的な条件も入れることで、完成度の高い原稿ができる。

原稿としては不十分ですが、これをアイデアとしてスピーチのネタができますね!

128

● ニュースを参考にする

> も 以下は今日のニュースです。これを参考に、ビジネス上の教訓を考えながら、会社用の朝礼スピーチの原稿案を書いてください。時間は5分間です。
>
> 【今日のニュース】
> 野球のワールド・ベースボール・クラシック(WBC)は、米〜
> 本が前回優勝のアメリカを3-2で下し、3度目の優勝〜
> 最優秀選手(MVP)に選ばれた。試合後の記者会見
> 人生においても素晴らしい経験になったんじゃないか〜
> 回のWBCは2026年に開催の予定。大谷は日本が今後も勝ち続けることが大事だとの考えを示した。

スピーチ原稿でテーマにしたいニュースの記事の概要を入力し、「朝礼スピーチの原稿案を考えてください」と指示すれば、ニュースの話を交えて生成してくれる。

> ⑤ 皆さん、おはようございます。
>
> 本日のニュースで、野球のワールド・ベースボール・クラシック(WBC)の決勝戦において、日本が前回優勝のアメリカを3-2で下し、3度目の優勝を果たしました。大会の最優秀選手(MVP)には大谷選手が選ばれました。この勝利におけるビジネス上の教訓を考えてみたいと思います。
>
> 第一に、目標を持ち続ける重要性です。日本チームは次回のWBCでの勝利に

「ビジネスの教訓を考えながら」という条件を追加すると面白い話がつくれますね!

● ロールモデルを指定する

> も この原稿を、スティーブジョブズのようなスピーチになるよう日本語で考えてください。

具体的な人物の名前を指定すると、原稿のテイストが変わる。自分が理想とするロールモデルを参考にしよう。

> ⑤ 皆さん、おはようございます。
>
> 本日の朝礼スピーチでは、野球のワールド・ベースボール・クラシック（WBC）のニュースを通して、我々のビジネスにおける重要な教訓についてお話しいたします。
>
> まず、WBCの決勝で見事日本がアメリカを3-2で下し、3度目の優勝を果たしました。そして、大谷選手が最優秀選手（MVP）に選ばれたことは素晴らしいことですね。
>
> この勝利から我々が学ぶべきこと、それは「チームワークの力」です。野球は個人の力だけでは勝ち抜けないスポーツです。それは私たちのビジネスにも言えることです。一人一人が力を合わせ、協力し、共に努力することで、より大きな成果を達成できるのです。仕事においても、お互いを尊重し、支え合い、共に成功を目指

16

データについて
意見を求める

アンケートの集計結果や Excel の数値データは、ChatGPT
に貼り付けることで分析ができます。

ChatGPT は、**データ分析**にも長けており、さまざまな方法で役立てること
ができます。例えば、**アンケート結果を分析し、その結果に基づいて考察をす
ることが可能です。**集計やパターンの発見、傾向の分析を行うことができる
のです。また、Excel ファイルの内容をコピー&ペーストするだけで、必要
な分析を生成してくれます。これでより深い理解を得られるでしょう。

アンケート結果を分析してもらう

> も
>
> 中高年の世代を対象に高齢の親に対する悩みに関するアンケートをとりました。
> 以下のアンケート結果を分析し、意見を教えてください。
>
> 1 高齢の親の健康状態について、どのような悩みを抱えていますか?
> 「親の身体の衰えが進んでおり、日常生活に支障をきたすことが心配です。」
> 「親の認知症が進行しており、病状やケアの方法について悩んでいます。」
> 高齢の親が日常生活で困っていることや支援が必要なことはありますか?
>
> 2「親が一人暮らしで家事や買い物に困っているので、サポートが必要です。」
> 「親の運転免許が返納され、交通手段に不自由しているため、移動のサポート
> が必要です。」
> 高齢の親の身辺の世話や介護について、どのような悩みがありますか?
>
> 3「親の日常的な身の回りの世話や入浴のサポートに負担を感じています。」
> 「介護施設への入居を検討しているが、親の意思や費用の問題で悩んでいま
> す。」
> 高齢の親が自立した生活を送るための支援やサービスについて、どのような悩み
> がありますか?
>
> 4「親の自立支援に関する情報が不足してお
> 難しいです。」
> 「親が趣味や社会活動に参加する機会が少な

アンケートの結果を入力し、「分析し、
意見を教えてください」と指示をすると、
結果をまとめて生成してくれる。 結果に
対し、考察を入れてほしい場合は、「意
見を教えて」などの指示を入れると◎。

アンケート結果から得られる高齢の親に対する悩みについていくつかの点が明らかになります。以下にそれらの悩みと対応について意見を述べます。

> アンケートの項目ごとに、意見をまとめてくれた。さらに、課題や解決策などの考察なども生成してくれた。

1. 高齢の親の健康状態についての悩み：
   高齢の親の健康が心配であり、特に身体の衰えが懸念されています。こうした悩みに対しては、乗し、専門医の診断を仰ぐことが重要です。また、家族間でコミュニケーションを大切にし、親の希望や意向を尊重しながら、適切なサポートとケアを提供することが必要です。

2. 高齢の親の身辺の世話や介護についての悩み：
   親が一人暮らしで家事や買い物に困っていたり、運転免許を返納し交通手段に不自由している場合、家族や地域の支援を考える必要があります。家族の一員として、日常的な世話や介護を共に担うことで、親の生活の質を向上させることができるでしょう。また、地域のサポートや地域福祉施設の活用も検討することで、負担を軽減できる場合があります。

3. 高齢の親が自立した生活を送るための支援やサービスについての悩み：

● 損益計算書を分析する

 あなたは税理士です。下記の損益計算書をもとに、課題点と改善策を教えてください。
売上収益（IFRS）　1,455,538
営業費用（IFRS）　1,579,630
その他の収益（IFRS）　54,483
その他の費用（IFRS）　24,240
営業利益（△損失）　-93,849
金融収益（IFRS）　60,150
金融費用（IFRS）　79,607

> 内容によって「あなたは○○です」と入力すると◎。数字のデータを入力し、「課題点と改善策を教えて」と指定すると、分析結果が生成された。

 損益計算書を元に、課題点と改善策を以下に示します。

1. 営業費用が売上収益を上回っている
   課題点：営業費用が売上収益を上回っているため、会社は営業活動となっています。
   改善策：営業費用の削減や効率化を検討し、コストを下げることで営業利益を改善します。例えば、無駄な経費の削減、効果的な広告戦略の採用、生産プロセスの改善などが挙げられます。

2. 金融費用が金融収益を上回っている
   課題点：金融費用が金融収益を上回っているため、会社は金融活動でも損失を被っています。

> 分析の参考になりますね！

17 グラフのパターンの意見を求める

グラフは、どの種類が正しいのか判断に悩む場合がありますが、ChatGPT は見せ方もアドバイスしてくれます。

プレゼン資料づくりにおいて、見やすい**グラフ**を作成することは重要な要素です。数字だけのデータも、線や面などビジュアルで見せることで、伝わりやすい資料となります。ChatGPT は、そうした**資料の見せ方においても具体的なアドバイスを生成することが可能**です。ChatGPT に入力した数値から、どのグラフや見せ方が効果的か基礎的な方法を提示してくれます。

売上表のグラフについて聞く

	A	B	C
I9			
1	日付	売上高	客単価
2	2023/1/1	49,000円	700円
3	2023/1/2	30,000円	600円
4	2023/1/3	18,000円	900円
5	2023/1/4	42,000円	750円
6	2023/1/5	41,000円	800円
7	2023/1/6	31,000円	550円
8	2023/1/7	15,000円	950円
9	2023/1/8	32,000円	760円
10	2023/1/9	40,000円	560円
11	2023/1/10	21,000円	950円

Excelでつくった売り上げ表をそのまま貼り付ける。「報告書をつくります」など質問の背景や目的を明記すると◎。

も　下記の今月の売上高と客単価の一覧表をもとに、報告書を作成します。グラフを載せたいのですが、どんなグラフがいいかアドバイスをください。
日付　売上高　客単価
2023/1/1 49,000円　700円
2023/1/2 30,000円　600円
2023/1/3 18,000円 900円
2023/1/4 42,000円　750円
2023/1/5 41,000円 800円
2023/1/6 31,000円 550円
2023/1/7 15,000円 950円
2023/1/8 32,000円　760円
2023/1/9 40,000円　560円
2023/1/10 21,000円 950円
2023/1/11　14,000円 760円
2023/1/12　32,000円　560円
2023/1/13　40,000円　950円
2023/1/14　31,000円 760円
2023/1/15　15,000円 560円
2023/1/16　32,000円　950円
2023/1/17　39,000円　760円
2023/1/18　20,000円　560円
2023/1/19　16,000円 950円

このような売上高と客単価の一覧表から、適切なグラフを作成すること□□
の視覚化が可能となります。データの傾向やパターンを素早く把握する□□□
き、報告書の内容をより分かりやすく、効果的に伝えることができます。□□

グラフの種類と、その理由とメリットがいくつか生成された。

以下のようなグラフを作成してみることをお勧めします：

1. 折れ線グラフ：日付と売上高を軸にした折れ線グラフです。X軸に日付、Y軸に売上高の金額を表示します。これにより、期間内の売上高の推移が一目で分かります。
2. 折れ線グラフ（二軸グラフ）：日付と客単価を二つの異なるY軸で表現するグラフです。1つのグラフ内で売上高と客単価の両方の傾向を比較することができます。

もう少しわかりやすくしたい場合は、表にすると◎。種類、目的、メリット、おすすめ度などを指定すると、その通りに生成された。

 グラフの種類、目的、メリット、おすすめ度の表をつくって□□

 以下は、グラフの種類、目的、メリット、おすすめ度をまとめた表です。

グラフの種類	目的	メリット	おすすめ度
折れ線グラフ	売上高のトレンドや推移を示す	時間的な変化をわかりやすく表現できる。異なるカテゴリ間の比較も可能。	★★★★☆
折れ線グラフ	売上高と客単価の関係を比較する	二つのデータを同じグラフ上に表示し、相関関係を把握しやすい。	★★★★☆
棒グラフ	日付ごとの売	カテゴリの間での数量を効果的に比較できる。特に離散的なデータの分布を視覚化するのに適している。	★★★★☆
		データの散らばりや相関関係を直感的に把握□□強さや傾□□きる。	★★★☆☆

One point

Excelでのグラフのつくり方がわからない場合は、『Excelで折れ線グラフをつくる方法を教えてください』と質問すれば、すぐに回答が得られます。

表にしたほうが、どれにしたらいいか見ただけでわかりますね！

Excelの関数を教えてもらう

Excelのデータづくりにおいて必ず使用する「関数」。どんな関数を使えばいいのかChatGPTに聞いてみましょう。

Excelの操作に慣れていない人は、どんな**関数**を使えばいいのかわからないときがあるでしょう。そんなときは、**ChatGPTに目的を伝えれば、それに合った関数のアドバイスが得られます。**また、複雑な**数式**の処理につまずいたとき、数式をChatGPTに提示するだけで、構造を丁寧に説明してくれます。ChatGPTはExcelで困ったときの先生として活用することができます。

関数をつくる

> も Excelで家計簿をつくりたいです。食費・日用品費・通信費・水道光熱費・保険料・交際費・医療費・美容費・固定費ごとに、別のセルに合計値だけを表示させるための数式や関数を教えてください。
>
> 🗨️ 家計簿をExcelで管理する際に、各費目ごとに合計値を計算して表（ために、SUMIF関数を使用する方法が便利です。以下に、各費目（値を計算するための数式を示します。
>
> 例として、A列に費目、B列に金額が入力されていると仮定します。合示させたいセルに対して、以下の数式を入力します。
>
> 1. 食費の合計を計算する場合（A列に「食費」、B列に金額が入力されているします）：

```less
□ Copy code

=SUMIF(A:A, "食費", B:B)
```

> 1. 日用品費の合計を計算する場合（A列に「日用品費」、B列に金額が入力されているとします）：

「数式や関数を教えて」と入力。Excelを使用する目的を明確に明記すると、より正しい回答が得られる。ここでは、「SUMIF関数」という回答と、手順について説明も明記された。

数式の意味を教えてもらう

> も
>
> 次のExcelの数式の意味を教えてください。
> =IFERROR(C21/C24,"")

Excelを使用中、理解ができない数式があれば、数式をコピーし貼り付けて「意味を教えて」と指示すると数式の意味を詳しく生成してくれる。

> このExcelの数式は、エラーを処理するための関数であり、IFERROR関数を使用しています。
>
> 意味は次のとおりです：

```scss
IFERROR(C21/C24, "")
```

> この数式は、C21セルの値をC24セルの値で割り算しますが、もし割り算の結果エラーが発生した場合は、空白("")を表示します。

> も
>
> ステップバイステップで教えてください。

もっとわかりやすく解説してほしいときは「ステップバイステップで」と指示すると、1つずつ順を追って生成してくれる。これはさまざまなシチュエーションでも活用できる。

> もちろん、以下にステップバイステップで数式を解
>
> 1. `C21`セルの値を`C24`セルの値で割り算します。
> 2. `IFERROR`関数を使用して、割り算の結果にエラーがあるかどうかをチェックします。
> 3. もし割り算の結果にエラーがない場合、その結果が表示されます。
> 4. もし割り算の結果にエラーがある場合、`IFERROR`関数は第1引数として指定したエラーの代わりに第2引数の値を表示します。ここでは白("")を表示するように設定しています。
>
> 具体的な手順：
>
> 1. `C21`セルと`C24`セルの値を確認します。例えば、`C21`が10で、`C24`が2だと仮定します。
> 2. `C21`の値を`C24`の値で割り算します。つまり、`10 / 2`を計算します。結果は5になります。

Excelでエラーが起きたときなど、ChatGPTが解決法を生成してくれます！

タスクのリストを作成する

ChatGPT はタスクの整理や、プロジェクトのタスクの割り当て、進行スケジュールの作成にも自動化が可能です。

やらなければいけないことが大量にあったり、具体的に何からはじめたらいいかわからなかったりしたとき、**ChatGPT にタスクを整理してもらうとより効率的**です。また、チームで取り組む場合など、一人ひとりにタスクを割り当て、タスク管理することも可能です。週や月ごとに各メンバーの進行スケジュールを打ち出すことで、マネジメントにも有効活用することができるのです。

手順をタスクにする

> も　休職をします。休職申請書を申請するまでの必要な手順を表にまとめてください。

> 休職を申請する際の一般的な手順を表にまとめます。ただし、企業や組織によって手順が異なる場合がありますので、具体的な〔　〕のルールや規程を確認してください。

「手順を表にまとめて」と指示すると、手順ごとにやるべきことが生成された。各手順について、さらに詳しく生成させることも可能。

手順	説明
1. 休職方針の確認	企業や組織の休職に関する方針を確認します。
2. 申請のタイミングを決定	休職の理由やスケジュールに基づき、申請の〔　〕決定します。
3. 上司との相談	休職の意向を上司と相談し、了承を得る必要が〔　〕合があります。
4. 休職申請書の入手	通常、人事部門や組織内の指定窓口から休職申請書を入手します。
5. 休職期間の決定	休職期間を明確にし、申請書に記入します。
6. 休職理由の詳細の〔　〕	休職の理由を詳細に記入し、必要な場合は医療証明

リストにしてくれるからわかりやすいね！

タスクの割り当て

 新商品の開発プロジェクトをチームで進めます。以下の詳細を踏まえて、タスクの割り当てをしてください。

【チームメンバー】
・Ａ：マーケティング担当
・Ｂ：デザイナー
・Ｃ：企画開発部

【タスクの内容】
1 広告デザイン
2 コンテンツ作成
3 販促戦略立案

何かチームで取り組む場合、一人ひとりのタスクを打ち出し、割り当てることができる。チームメンバーとタスクの大まかな内容を指定すれば、各メンバーの細かいタスクが生成された。

 タスクの内容に基づいて、各チームメンバーに割り当てるタスクを考えます。

【タスク割り当て】
・Ａ（マーケティング担当）
1 広告デザイン：広告のコンセプトやメッセージを考え、デザイナーと連携して広告の素材やキャッチコピーを提供する。
3 販促戦略立案：市場調査や競合分析を行い、新商品の販促戦略を立案し、企画開発部と協力して実施計画を作成する。

・Ｂ（デザイナー）
1 広告デザイン：マーケティング担当の提供したコンセプトやメッセージを元に、広

誰が何をすればいいかすぐにわかるね！

 今週のタイムスケジュールを作成してください。

タスクのスケジュールを作成することができる。週や月ごとなど指定をし、「タスクスケジュールを作成してください。」と指示すれば、それぞれのスケジュールが生成された。

 もちろん、週のタイムスケジュールを作成します。以下は一例ですが、チームメンバーのタスクと進行を考慮したスケジュールです。

月曜日：
9:00 - 9:30 週の目標とタスク確認、進捗報告
9:30 - 11:30 販促戦略立案（Ａ、Ｃ）
11:30 - 12:00 休憩

20 課題解決のための対処法を知る

自分ではどうすることもできない悩みは、ChatGPTがよき相談相手として、さまざまな解決策を提示してくれます。

ChatGPTは、仕事のあらゆる課題改善のためのツールとしても効果的です。例えば、社内の**コミュニケーションの改善**や、部下の指導の取り組み方など、**自分が思い悩むことを相談すれば、具体的な解決策を生成してくれる**のです。また、一人で抱え込みがちな仕事への不満や愚痴などもChatGPTに打ち明けることで、よき**相談相手**にもなります。

コミュニケーションの改善

 チーム内で意思疎通がうまくいきません。情報が共有できておらず、先方からクレームがはいりました。チームメンバーのコミュニケーションを良くするには、どうしたらいいですか？

チーム内での意思疎通を改善するためには、以下〜有効です：

> コミュニケーションを改善したいと思った理由を明記する。現在の状況や背景を詳しく記入すると◎。回答では、いくつかの方法が生成された。

1. ミーティングの改善: 定期的なミーティングを設けて、進捗状況や問題点を共有しましょう。会議の議題や目的を明確にし、全員が参加できるように日程を調整します。

2. コミュニケーション手段の選択: チームメンバーが情報〜を選びます。メール、チャット、プロジェクト管理ツール〜ン手段を選んで活用しましょう。

> 手順ごとに進めてもいいし、現状できていないことの確認になりますね！

3. 目標や役割の明確化: チームメンバーには明確な目標や役割が必要です。〜人の責任範囲を明示し、役割分担を明確にすることで、情報の共有とタスクの進行がスムーズになります。

4. コミュニケーションスキルの向上: チームメンバーには効果的なコミュニケーションスキ

仕事の悩みを聞いてもらう

● マネジメントスキルを上げる

> も　私の部下は自主性がなく、自分で考えて行動ができません。どうしたら成長して
> くれますか？ ●━━━━━━━

> 部下の育成など、マネジ
> メントスキルを上げるた
> めのアドバイスをしてくれ
> る。部下に対しての問題
> 点を明記すれば、解決策
> が生成された。

> ⑨　部下の成長を促進するためには、いくつかのアプローチがありま[す]。[いく]
> かの提案を挙げてみます：
>
> 1. 目標とフィードバックの明確化: 成長を促進するために、部下に明確な目標を
>   設定しましょう。目標が具体的で、達成可能であることが重要です。また、進
>   捗を定期的にフォローアップし、フィードバックを提供することで、部下が自分の
>   成長を把握しやすくなります。
> 2. 責任と自主性の委譲: 部下に一定の責任を委譲し、自分で判断して行動す
>   る機会を与えることで、自主性を養うことができます。初めはサポートしながら
>   徐々に難易度を上げると良いでしょう。
> 3. メンタリングとコーチング: 部下との定期的な面談を通じて、彼らの課題や目標

● 悩みや不満を打ち明ける

> も　私の上司は自分がしたくない仕事を全部私に押し付けてきます。本当にいい加
> 減にしてほしい。 ●━━━

> 自分が今不満に思っていること
> をそのまま入力するだけでOK。
> 具体的な対処法が生成される。

> ⑨　上司が仕事を適切に分配せず、全てを押し付けてくる場合は、以下のアプローチ
> を試してみることができます：
>
> [コミュニケーシ]ョンを通じて話し合う: 上司とのコミュニケーションを通じて、仕事の
> [　]について話し合いましょう。自分が抱えている仕事の量や上司か
> [　]いて具体的に説明し、効果的な分担方法を提案してみてくださ
>   い。
> 2. 優先順位の調整を提案する: 上司と話し合い、仕事の優先順位を再評価す
>   ることを提案してみてください。重要度や緊急度に基づいてタスクを整理し、リソ
>   ースを効果的に活用することで、仕事の負担を分散させることができるかもしれ
>   ません。
> 3. 上司に報告する: もし上司に対して自分の状況や負担を適切に伝えているにも

> なかなか他人に
> 話せない仕事の愚痴も
> ChatGPTに相談可能です！

ChatGPT によって
仕事はなくなる?

ChatGPT のような生成 AI が登場し便利になった一方で、
AI に代替えされる可能性が高い仕事もあります。
どういった職種が危ういのでしょうか?

生成 AI によって人間が行っていた業務の自動化が進み、新しい
ビジネスモデルが生まれる可能性がある一方、人間の仕事が奪
われることで、失業率が上昇する可能性もあると考えられています。

米国の金融大手ゴールドマン・サックスの報告書によると、世界
全体で生成 AI の影響を受ける可能性がある雇用者は、最大で
3 億人に上ると予測されています。雇用への影響はさまざまなセク
ターに及び、事務では 46％、法務では 44％、財務では 35％
が自動化され、事務系の仕事の大部分が AI に取って代わられる
という結果になりました。一方、建設では 6％、保守では 4％に
とどまるとしています。

OpenAI とペンシルベニア大学の研究者らが発表した報告書に
よれば、約 80％の米国労働者が、10％のタスクにおいて影響
を受ける可能性が判明しました。ChatGPT のタスク対応を露出
度として数値化すると、露出度が高い職業は、次ページのものが
挙げられました。

まだ「仕事がなくなる」とはいえませんが、
AIとどう共存していくか
考えておく必要はありますね。

・通訳・翻訳（76.5 〜 82.4％）
・調査研究者（75 〜 84.4％）
・詩人・作詞家・創作作家（68.8％）
・動物科学者（66.7 〜 77.8％）
・広報スペシャリスト（66.7 〜 80.6％）
・作家・著者（82.5％）

また、露出度が100％の職種は、
・数学者
・税理士
・金融クオンツアナリスト
・Web・デジタルインターフェースデザイナー
・会計士
・報道アナリスト・レポーター・ジャーナリスト
・法務秘書・事務補佐
・臨床データ管理者
・気候変動政策アナリスト
などで、全体的に高収入な職業ほど露出度が高い傾向にあることもわかります。

こうした予測調査の結果から、「AIリストラ」が増えるのではないかと不安になりますが、大切なのは今後AIにどう適応していくかです。AIを活用することで、生産性や効率化が進むなど、経済にプラスの作用をもたらす可能性もあります。

Chapter

6

ChatGPT
mirudake notes

さらに使いこなす
拡張機能を使った
時短術

ChatGPT は、ブラウザ上だけでなく、外部の検索ブラウザやサイトと連携して使用することが可能です。この章では、ChatGPT をさらに使いこなせる Google chrome の拡張機能について使い方を紹介します。自分に合った使い方を見つけましょう。

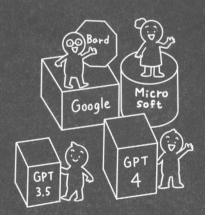

Chrome 拡張機能で さらに使いこなす

ChatGPT は Google Chrome の拡張機能と連携することが可能です。拡張機能について学びましょう。

ChatGPT はブラウザ上での使用のほかに、**Google Chrome** の**拡張機能**を取り入れることで、Google や YouTube などのほかのサイトと連携して活用することが可能です。**Google Chrome には、さまざまな機能を追加し、自分好みに使い勝手を高められる拡張機能というシステム**があります。ChatGPTと連携した拡張機能をインストールすれば、さらに幅広く活用できます。

拡張機能のインストール方法

検索サイトで「Chrome ウェブストア」を開き、必要な拡張機能を選択し、インストールボタンをクリックする。ここでは、例として「ChatGPT for Google」の拡張機能をインストールする。

ウェブストアで「ChatGPT for Google」と検索してみよう!

簡単にインストールできたね！
自分に合う拡張機能を
どんどん利用していこう！

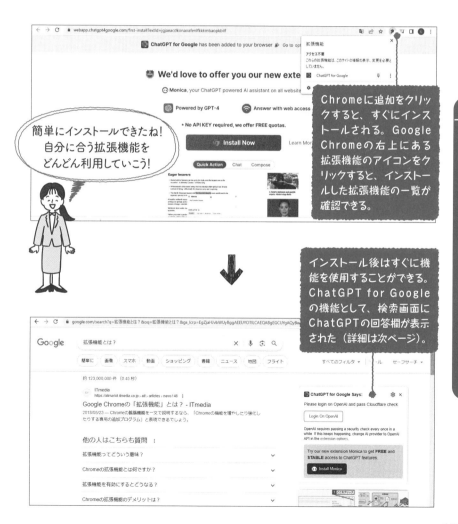

Chromeに追加をクリックすると、すぐにインストールされる。Google Chromeの右上にある拡張機能のアイコンをクリックすると、インストールした拡張機能の一覧が確認できる。

インストール後はすぐに機能を使用することができる。ChatGPT for Googleの機能として、検索画面にChatGPTの回答欄が表示された（詳細は次ページ）。

02

ChatGPT for Googleで検索と質問を同時にする

検索画面にChatGPTの回答が表示される拡張機能があります。ChatGPTをより日常的に使用することが可能です。

Google検索をするだけで、検索結果と同時にChatGPTの回答が表示される拡張機能が **ChatGPT for Google** です。**1つの画面にGoogleの検索結果とChatGPTの回答が得られ、情報を比較しやすいのがメリット**です。検索画面上でChatGPTに質問を続けていくことが可能で、質問内容はコピーしたり、ほかの人に共有したりすることもできます。

ChatGPT for Googleの使い方

サイトを開かなくても
この画面だけで
概要がわかりますね!

「Chromeウェブストア」で
ChatGPT for Googleをインストールすると、すぐに検索画面の右側にChatGPTの回答が表示される。

一般的なアプリケーションの拡張機能は、新しい機能の追加やアプリケーションの動作や外観のカスタマイズ、データのインポート・エクスポート機能の追加など、さまざまな目的で使用されます。

拡張機能は、ユーザーが必要に応じて自由に追加・削除できるため、個々のニーズや好みに合わせてカスタマイズできるという利点があります。

🗨 Let's Chat

ChatGPTを開かなくてもここで使うことができて便利!

ChatGPT for Googleエリアの下部にある「Let's Chat」をクリック。ChatGPTへの質問ができるようになる。

🖥 ChatGPT ⚙   👍 👎 📋 ⌁ ✕

拡張機能（かくちょうきのう）とは、コンピュータソフトウェアやアプリケーションに機能や能性を追加するための追加コンポーネントやモジュールのことを指します。これらの機能拡張は通常、元のソフトウェアの機能を補完したり、改善したりするために開発されます。

主な特徴や目的は以下のようになります：

1. 拡張性: ソフトウェアが拡張機能をサポートしている場合、ユーザーや開発者は独自の機能を追加したり、既存の機能をカスタマイズしたりできます。

2. アドオンやプラグイン: 拡張機能は、アドオンやプラグインとしても知られており、既存のソフトウェアに統合されて、その機能を拡張します。

3. モジュール: 拡張機能は、ソフトウェアの一部として追加されるため、一般的にはモジュールとして実装されます。

「シェア」アイコンをクリックすると、質問内容の会話のやりとりがChatGPT for Googleのサーバーにアップロードされる。リンクを伝えれば、会話内容を共有することが可能だ。

ChatGPT for Googleエリアの上部の「コピー」アイコンをクリックすると、回答がコピーされ、Wordなどのテキストツールに貼り付けが可能だ。

03 ChatGPT Writerで簡単にメール文をつくる

Gmailを利用している人は、この拡張機能で簡単にメールのサンプル文を作成することができます。

ChatGPT Writerは、メール文の作成をサポートしてくれる拡張機能です。「こんなメール文をつくって」と指定するだけで、メールのサンプル文がすぐに生成されます。Gmailと連携され、**Gmail上で使用できるため、わざわざChatGPTを開く必要がないのがメリット**です。あくまでメールの下書きとして活用し、必ず自分で手直ししてからメールを送りましょう。

ChatGPT Writerの使い方

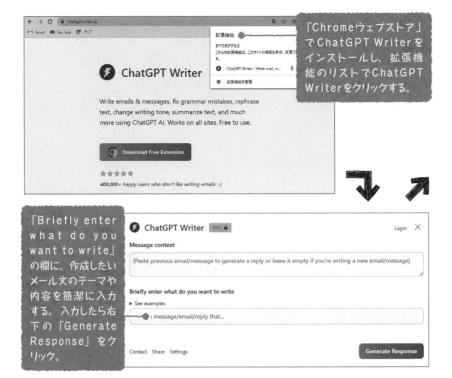

「Chromeウェブストア」でChatGPT Writerをインストールし、拡張機能のリストでChatGPT Writerをクリックする。

Write emails & messages, fix grammar mistakes, rephrase text, change writing tone, summarize text, and much more using ChatGPT AI. Works on all sites. Free to use.

Download Free Extension

400,000+ happy users who don't like writing emails :-)

「Briefly enter what do you want to write」の欄に、作成したいメール文のテーマや内容を簡潔に入力する。入力したら右下の「Generate Response」をクリック。

ChatGPT Writer PRO 🔒

Message context

(Paste previous email/message to generate a reply or leave it empty if you're writing a new email/message)

Briefly enter what do you want to write
▶ See examples

message/email/reply that...

Contact Share Settings

Generate Response

「送別会の案内状」と指定すると、下の欄にメール文のサンプルが生成された。

テキストツールに
コピー＆ペーストして
みましょう。

● Gmail上での使い方

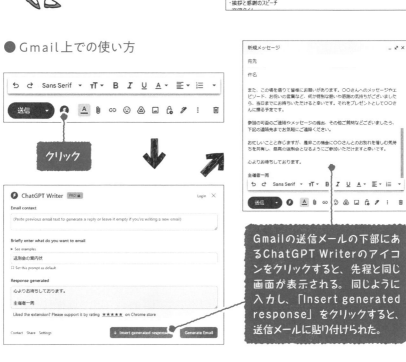

クリック

Gmailの送信メールの下部にあるChatGPT Writerのアイコンをクリックすると、先程と同じ画面が表示される。同じように入力し、「Insert generated response」をクリックすると、送信メールに貼り付けられた。

04 YouTube 動画の 内容を要約する

動画を要約する拡張機能を使えば、より効率的に内容を把握することができます。文字起こしにも最適です。

YouTube & Article Summary powered by ChatGPT は、YouTube 動画を ChatGPT が要約し、内容を表示してくれる拡張機能です。動画の横に文字起こしされた文章も表示され、動画を再生しなくても早く内容を読み取ることができます。YouTube の右上にある ChatGPT のアイコン部分の「View AI Summary」をクリックすると、ChatGPT が開き、動画の文字起こしと要約を生成してくれます。

海外のYouTube動画を要約する

「Chromeウェブストア」でYouTube & Article Summary powered by ChatGPTをインストールすると、拡張機能のリストに追加される。

YouTubeで動画を見ると、右上に「Transcript & Summary」が表示された。

The Inside Story of ChatGPT's Astonishing Potential | Greg Brockman | TED

クリックすると、動画の横に文字起こしが表示される。言語の選択が設定されていれば、翻訳された文字起こしが生成される。

以下を5つの要点で要約してください。in Japanese.

タイトル: "The Inside Story of ChatGPT's Astonishing Potential | Brockman | TED - YouTube"

書き起こし: "Traductor: Leah Levi Revisor: Sebastian Betti Empe
OpenAI hace siete años porque sentimos que algo muy intere
estaba pasando en la IA y queríamos ayudar a dirigirla en una
dirección positiva. Sinceramente, es realmente increíble ver lo
que todo este campo ha avanzado desde entonces. Y es realmente
gratificante saber que gente como Raymond usan la tecnología que
estamos construyendo, y otros para tantas cosas maravilla
Escuchamos de personas entusiasmadas, escuchamos
preocupadas, y oímos personas que sienten ambas em
vez. Y sinceramente, así es como nos sentimos. Sobre to
que ahora estamos entrando en un período histórico donde
va a definir una tecnología que será muy importante para nuestra
sociedad en el futuro. Y creo que podemos gestionar esto para bien.
Así que hoy quiero mostrarles el estado actual de esa tecnología y
algunos de los principios de diseño que apreciamos. Así que lo
primero que te voy a mostrar como construir una herramienta para

ChatGPTのアイコン部分の「View AI Summary」をクリックすると、ChatGPTが開く。ここでは文字起こしのあとに、要約された文章も生成された。

海外の言語は「日本語に翻訳して」と指示すればOK!

要約:

1. OpenAIは7年前に設立され、AIの進化を前向きな方向に導くために取り組んできた。
2. OpenAIの技術、特にChatGPTは驚異的な可能性を持っており、テキスト生成だけでなく画像生成など多くの応用があることが紹介されている。
3. ChatGPTは、人間がAIを教育し、フィードバックを与えることで育成されており、高い品質の応答を生成できるように訓練されている。
4. AIと人間の協力が重要であり、AIが予想以上のことを学び出すことで新しい能力が生まれる可能性がある。
5. OpenAIは技術の進展と同時に責任を持ち、安全性を重視し、人類全体に利益をもたらすような人間とAIの共存を目指している。

ChatGPT Glarityで動画や検索で要点をつかむ

検索やYouTube動画の要約をする拡張機能で、プロンプトを設定することで自分好みに要約スタイルをつくれます。

ChatGPT Glarity は、Google検索やYouTube動画などのWebサイトコンテンツを要約するためにChatGPTを利用した拡張機能です。日本語や英語を含む10言語に対応しています。**ほかの要約する拡張機能より便利なのは、ユーザーがプロンプトを自由にカスタマイズできるという点**です。要約のレベルやスタイルを調整し、よりパーソナライズされた情報を得られます。

Glarityの使い方

> 「Chromeウェブストア」でChatGPT Glarityをインストールすると、拡張機能のリストに追加される。GoogleやYouTubeの画面にChatGPT Glarityのエリアが表示される。

⬇

● Google

● YouTube

プロンプトをカスタマイズする

〈 Google翻訳 〉

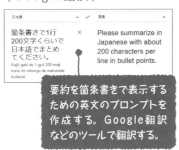

要約を箇条書きで表示する
ための英文のプロンプトを
作成する。Google翻訳
などのツールで翻訳する。

ChatGPT Glarityのオプ
ションから設定画面を開く。

設定画面の「Customize
Prompt for Summary」
のタブを開き、YouTubeの
項目を選択。欄内に先程の
英文をペーストする。

Options

⚙️ General

🔖 Customize Prompt for Summary

⊖ Enable/Disable Glarity

📄 Page Summary

Customize Prompt for Summary

∨ YouTube / Bilibili

Using the content below, first summarise a brief paragraph of key points, then summarise the briefly highlighted information in a list, choosing an appropriate emoji for each highlight: [{Title}] [{Transcript}].
Your output should use the following template:

Summary
Please summarize in Japanese with about 200 characters per line in bullet points.
Highlights
- [[emoji] Bulletpoint

Title: "[{Title}]" Transcript: "[{Transcript}]"

Save   Use default

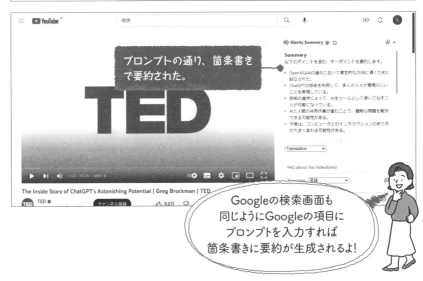

プロンプトの通り、箇条書き
で要約された。

Googleの検索画面も
同じようにGoogleの項目に
プロンプトを入力すれば
箇条書きに要約が生成されるよ!

The Inside Story of ChatGPT's Astonishing Potential | Greg Brockman | TED

もっと便利になる おすすめの拡張機能

本章で紹介した拡張機能のほかに、
ChatGPT をさらに使いこなせる機能を紹介します。
ぜひインストールしてみましょう!

☑KEY WORD

Voice Control for ChatGPT

音声で ChatGPT に質問をすることができる拡張機能です。インストール後、
ChatGPT を開くと、プロンプトの入力欄の下に音声マークのボタンが表示され
ます。そこをクリックして質問を話せば、音声が入力されるという機能です。英語
も使えるため、スピーキング練習にも最適です。

Superpower ChatGPT

ChatGPT 画面の左端にあるサイドバーに履歴として残っているプロンプトを整理できる拡張機能です。フォルダを使ってカテゴリごとに整理したり、キーワード検索も可能となります。ChatGPT をよく使う人にはおすすめの機能です。

AI Prompt Genius

ChatGPT の履歴を保存したり、プロンプトの内容を PDF や PNG データとして保存したりすることができる拡張機能です。よく使うプロンプトを登録してワンタッチで呼び出す機能もあります。使い勝手がさらによくなることでしょう。

7
Chapter

ChatGPT
mirudake notes

副業で使える!
ブログ・SNS・
YouTubeの活用術

ChatGPT は、 ブログや SNS などの文章作成や
アイデア出し、 構成においても、 非常に役立つ
ツールです。 ブログの本文の下書きを作成した
り、 Twitter や Instagram のハッシュタグの作成、
YouTube 動画の台本づくりなど、 知らないと損す
る活用法が数多くあります。

01 ChatGPT はブログ制作に有効活用できる

ChatGPT は副業にも役立つツールです。ブログ記事を執筆する際には、準備段階から活用することができます。

近年、空いた時間を活用し、ブログ執筆や SNS 運用を行う副業の人気が高まっています。そのようなときにも ChatGPT は役立つツールになるでしょう。**執筆時間を短縮したり、文章の添削をスムーズにしたり、手間が減ることでコストを削減したりできます。** ただし、情報の正確性が十分ではなく、個性のある文章はつくれないため、あくまで補助的に使う必要があります。

副業にChatGPTを使うメリット

ブログの記事アイデアを増やしたり、既存のアイデアのヒントを生成します。

さくさくつくれるね!

なるほど!

こういうのはどう?

作業時間の短縮

記事の下書きやアウトラインの作成に時間をかける必要がありません。

アイデア出しのサポート

もっと読みやすくなった!

文章の品質の向上

文章の添削や修正をしてもらうことで、より質の高い記事の作成が可能です。

ブログを執筆する場合には、**構成案**を ChatGPT に生成させることができます。書きたいテーマや章立て、ターゲット層などを指示することで、数秒で大まかな案が生成されます。また、**情報収集**にも役立てることが可能です。データや統計をすぐに集めることができます。その中から使える情報をピックアップすることで、準備時間を大幅に短縮できるでしょう。

ブログ記事の構成案をつくる

> も　あなたはプロのwebライターです。以下の指示に従って、記事の構成案を作成してください。
> ・ターゲットはChatGPTに関心がある初心者です
> ・5章立ての構成にしてください。
> ・小見出しは1-1、1-2という形式に

構成を考えてもらうために、ターゲットやテーマ、書式のスタイルなどの条件を指定すると◎。

> 記事のターゲットがChatGPTに関心がある初心者向けであるということを考慮し、以下の5章立ての構成案を提案します。各章には1-1、1-2といった小見出しを付けて、読みやすさを確保します。

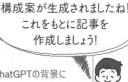

仕様に沿った構成案が生成されましたね！これをもとに記事を作成しましょう！

章立て：ChatGPT入門ガイド

1-1. ChatGPTとは何か？

- ChatGPTの概要と基本的な特徴について説明します。
- 人工知能と自然言語処理技術の進化によって生まれたChatGPTの背景に触れます。
- どのような用途に使われるのか、実際の例を挙げながら解説します。

1-2. ChatGPTを始める前に知っておくべきこと

- ChatGPTを使用する前に必要な前提知識や基本的な概念を解説します。
- AI倫理やプライバシーに関する重要な考慮事項について説明します。
- 初心者が陥りがちな落とし穴や注意点を共有し、安全かつ効果的にChatGPTを活用する方法をアドバイスします。

2-1. ChatGPTの使い方入門

- ChatGPTを使い始めるための手順を詳しく解説します。
- インターフェースの使い方やテキストの入力方法について説明します。

ChatGPTでブログの記事を作成するコツ

02

時間のかかる魅力的な見出しの作成や本文の執筆、仕上げまでを ChatGPT は全面的にサポートしてくれます。

ブログの見出しや**タイトル**は、閲覧数を決定づける重要なポイント。ChatGPT に指示を出すと、複数の案を生成してもらえます。ただし、ChatGPT が生成した案はありきたりなものである可能性が高いため、そのまま使うだけでは SEO 対策としては不十分。提案をインスピレーションとして、自分の手でブラッシュアップしていきましょう。

タイトル案をつくってもらう

> も　あなたはプロのwebライターです。以下の指示に従って、記事のタイトルを作成してください。
> ・記事の内容はChatGPTの概要についてです。
> ・ターゲットはChatGPTに関心がある初心者です
> ・わかりやすく簡潔なタイトルにしてください。
> ・候補を5つ挙げてください。

複数の指示を含めたプロンプトで、タイトル案を生成させる。

> 🌀 1. "ChatGPTとは？初心者向けの基本ガイド"
> 2. "ChatGPT入門：人工知能の未来を探る"
> 3. "ChatGPTとは何か？初めての方に解説します"
> 4. "ChatGPT: 初心者向けの使い方と特徴"
> 5. "AIの魔法の鏡：ChatGPTの世界へようこそ"

複数のタイトル案が生成されました。このタイトルを参考に、オリジナリティを加えましょう！

完成した構成案や文字数をプロンプトで指示することで、**本文作成**も手軽に行えます。**その文章をもとに、ファクトチェックや最新情報の追加を行うのが効果的です。** また、できた文章を**推敲**してもらうこともできます。文法のミスを発見することはもちろん、指定した箇所の言い換え表現も生成してくれるため、効率よくレベルの高い文章に仕上げることが可能です。

本文作成と推敲もサポート

も あなたはプロのwebライターです。以下の指示に従って、ブログの記事を作成してください。
・タイトルは「ChatGPTとは？初心者のための完全解説」
・ターゲットはChatGPTに関心がある初心者です
・内容は「ChatGPTの概要」です。
・文字数は500文字以下

> テーマやターゲット層、文字数などを、このように箇条書きで簡潔な文章で指示する。

タイトル: ChatGPTとは？初心者のための完全解説

> 条件に合った文章が生成されました。

ChatGPT（Chat Generative Pre-trained Transformer）は、OpenAIが開発した人工知能（AI）モデルの一つです。自然言語処理（NLP）の分野において革命的な進化を遂げたChatGPTは、自動応答や文章生成などのタスクにおいて驚くべき成果を上げています。この記事では、ChatGPTの概要をわか

も 上記の文章をさらにわかりやすく推敲してください。

> 「推敲してください」と指示を出すと、同じ内容で文章を書き換えることができる。さらにわかりやすい文章や、異なった言い回しに変更が可能。

タイトル: ChatGPTとは？初心者のためのやさしい

ChatGPT（Chat Generative Pre-trained Transformer）は、OpenAIが開発した人工知能（AI）のモデルです。ChatGPTは、文章を読み込んだり文章を生成したりすることが得意で、自然な言葉の理解力が非常に高いんです。

1. ChatGPTの特徴

ChatGPTは、文章を理解する技術に特化したもので、その基盤となっているのがTransformerという技術です。このTransformerは、より長い文章を効率的

03 Twitterで投稿する文章を作成する

ChatGPTの便利な活用法がTwitter投稿。内容を140文字以内にまとめて、自動的にハッシュタグを付けてくれます。

ChatGPTはTwitterの文章を考えるときにも利用できます。テーマとともに「Twitterの投稿文章を考えてください」と指示を出すと、すぐに**140文字**以内の文章ができ上がり、自動的に**ハッシュタグ**を付けてくれます。**同じテーマの原稿を複数生成してもらうことやハッシュタグの個数を指定すること、またハッシュタグが必要ない場合には書かないよう指示を出すことも可能です。**

Twitterの投稿文章のつくり方

 あなたは恐竜に興味がある学生です。
恐竜に関するTwitterの投稿文章を考えてください。

> 「Twitterの投稿文章を考えて」と指示を出しただけで、自動的にハッシュタグの付いた文章が生成される。

「恐竜の驚くべき世界について学んでいます！🛒✨🦖 学生研究 #古代の謎」

「今日はティラノサウルス・レックスについての研究をしています！この巨大な肉食恐竜はどんな生態だったのでしょうか？🦕💬 #ティラノサウルス #古生物学 #学生研究 #化石発掘」

「化石の発見は恐竜研究の宝庫です！🔍🦴💡 最新の 新しい種類の恐竜が見つかったとのこと！興奮がとまりませ #化石 #新種発見 #恐竜研究」

> いくつか候補があって頼もしいね！しかも、ちゃんと140文字以内です！

「恐竜の進化について考えると、驚くべき生物の変遷を感じます！🦕🛒 地球の歴史を知ることは、現代の生態系を理解する上でも重要だと思います。#進化 #古生物学 #地球の歴史 #恐竜進化」

「恐竜の多様性に魅了されています！📸🦕 今日の研究では、羽毛恐竜につ

Ｔｗｉｔｔｅｒの活用術

● ハッシュタグの有無や個数を指定

> も　あなたは恐竜に興味がある学生です。以下の指示に従って恐竜に関する
> Twitterの投稿文章を３つ考えてください。
> ・内容は恐竜について
> ・ハッシュタグをそれぞれ10個つける

制約条件を追加すれば、ハッシュタグの内容や個数を指定できる。「ハッシュタグを10個付けて」という指示で、正確な個数は難しいですが、ハッシュタグの個数が増えたのがわかる。

> 投稿1:
> 🦕恐竜の不思議な世界にドップリ🌿✨化石や最新研究、種類ごとの特徴
> などを深堀り！恐竜好きの仲間と共に古代の謎に迫る冒険へ🔍🦖 #恐竜 #
> 古生物 #化石 #古代生物 #恐竜好き #古生物学 #ダイナソー #古代の謎 #
> 恐竜博士 #パレオンテオロジー
>
> 投稿2:
> 🌋絶滅の謎にせまる🔥恐竜界の壮大な歴史を探求！地球上の支配者たち

● Ｔｗｉｔｔｅｒの企画の内容を考える

> も　あなたは恐竜に興味がある学生です。Twitterでフォロワーからリプライがくるよう
> な企画と投稿文を３つ教えてください。

「Twitterでフォロワーからリプライがくるような企画を教えてください。」と指示すれば、さまざまな投稿内容が生成される。

> 素晴らしい、恐竜に興味を持つ学生の皆さんに向けた
> 稿文を３つご紹介します。これらの企画は、リプライを増やすのに役立つ面白く
> 魅力的な内容を盛り込んでいます。
>
> 1.「#恐竜謎解き」
> 　投稿文: 🦕🌴 謎解きタイム！🌴🦖
> 　皆さん、恐竜の世界に飛び込んでみませんか？今日は恐竜に
> 　クイズを出題します！知識を試してみてくださいね。
> 　Q1: ティラノサウルス・レックスの意味は？
> 　A) "暴君トカゲ"
> 　B) "巨大な翼"
> 　C) "速い角竜"
> 　リプライで答えてね！正解は後ほど発表します。#恐竜 #謎解きクイズ #学び

さらにターゲットや目的などを追加すれば、より希望に沿った投稿を考えられそうです！

Instagram の投稿を
ほぼ自動化する

Instagram での投稿でも ChatGPT を使いこなせば、作業の
効率と品質がグンと上がるでしょう。

Instagram を運用するには、投稿内容のテーマを見つけたり、企画を考え
たり、投稿する写真に入れるキャッチコピーを考えたり、あらゆる作業工程
が発生します。こうした編集作業も ChatGPT は有効に活用でき、**テーマや企
画のアイデア出しはもちろん、タイトルと本文を表形式で生成させて、編集しやす
くすることも可能**です。ここでは、知っておくと役立つ活用法を紹介します。

Instagramの投稿内容を考える

> も　あなたはプロのインスタグラマーです。自己肯定感の低さに悩んでいる女性に向け
> て、毎日を生きやすくするヒントを投稿したいです。投稿内容のアイデアを10個出
> してください。

> 例として、女性向けの自己啓発をテーマにした投稿をつ
> くると仮定した場合、まずは企画や内容を考える必要が
> ある。その際、ChatGPTに「アイデアを10個出し
> て」と指定すると、指示通りに回答が生成される。

> 🟢　素晴らしい！自己肯定感の〔　　　〕
> るヒントを投稿することは、とても有益な情報となるでしょう。以下に、インスタグラ
> ムで投稿する10個のアイデアを提案します：
>
> 1. #SelfLoveSunday: 毎週日曜日に、自己肯定感を高めるための自己愛につ
>   いての投稿をシェアしましょう。ポジティブな言葉や自己肯定の引用を添えて、
>   自分を大切にする重要性を伝えます。
> 2. グラティチュードジャーナル: 毎日の感謝の瞬間を記録するジャーナリングを提案し
>   ます。毎朝目覚めたら、1つ以上の感謝の言葉を投稿して、自己肯定感を高め
>   る良い習慣を身につけましょう。
> 3. 成功ストーリー: 自己肯定感の向上に成功した実際のストーリーや経験を共有
>   します。自分の過去の成長を振り返ることで、他の人にも勇気や希望を与えら
>   れるでしょう。
> 4. ボディポジティブ運動: ボディポジティブなメッセージを送る投稿を作成し、体型や
>   外見に関する社会的なステレオタイプに対抗しましょう。自分自身を肯定し、他

タイトルと本文を作成する

● 表形式で書き出す

> も　あなたはプロのインスタグラマーです。自己肯定感の低さに悩んでいる女性に向けて、毎日を生きやすくするヒントを投稿します。下記の項目ごとに、タイトルと本文をテーブル形式で書き出して下さい。
>
> ① 自己肯定感を高めるために、毎朝ミラーの前で自分自身に対してポジティブな言葉をかける習慣を始めてみましょう。自分自身を称えることで、内面からの自信を養うことができます。

「タイトルと本文をテーブル形式で書き出して」と指示すると、表形式で回答が生成された。

タイトル	本文
① 自己肯定感を高めるためのミラー前ポジティブ言葉習慣	毎朝ミラーの前で立ち止まり、自分自身に対して〇〇かける時間を作りましょう。自分の良いところや成長した点を自己称賛し、内面からの自信を育んでいきます。自己否定的な言葉ではなく、自分を肯定する言葉を大切にしてください。例えば、「私は強くて頑張り屋さんだ」と自分を称えることができます。
② 日記を書く習慣でポジ	毎日の日記を書く習慣を始めましょう。自分の成果やポジティブな出来事を振り返ることで、自己肯定感を高めることができます。日

ハッシュタグを入れたいときはTwitterと同じように「ハッシュタグを付けて」と指示すればOK！

● 文章をわかりやすくする

> も　以下の文章を、Instagramの投稿文章として、小学校6年生でもわかりやすい内容で話し言葉に書き換えてください。
> 毎朝ミラーの前で立ち止まり、自分自身に対してポジティブな言葉をかける時間を作りましょう。自分の良いところや成長した点を自己称賛し、内面からの自信を育んでいきます。自己否定的な言葉ではなく、自分を肯定する言葉を大切にしてください。例えば、「私は強くて頑張り屋さんだ」と自分を称えることができます。

> 【投稿文章】
> みんな、おはよう！毎朝、鏡の前でちょっと立ち止まって、自分〇〇みよう！自分のいいところや成長したところを自分でほめてあげ〇〇もっと湧いてくるよ。自分を否定する言葉じゃなくて、自分を応〇〇切にしてね！例えば、「私は強くてがんばりやさんだ」と自分を〇〇だよ。みんなもやってみてね！自己肯定感がアップするよ♪

投稿の文章を読みやすくするため「話し言葉に書き換えて」と指示して口調を調整する。より具体的に「小学生がわかるように」など条件を入れたりすると、より希望通りの口調に近づく。

7

副業で使える！ ブログ・SNS・YouTubeの活用術

05 YouTube 動画のコンセプトやアイデアをつくる

YouTube をはじめる際、ブランディング戦略は最も重要な要素の1つ。ChatGPT からアイデアを得るのがおすすめです。

さまざまな情報の発信源として大きなプラットフォームである YouTube。仕事や趣味を活かせるため、副業としても人気のあるツールです。チャンネルを開設する際にも、ChatGPT を活用することができます。登録者数を増やすためにどのようなチャンネルにすればいいのか、テーマに沿ったアドバイスを生成してもらうことも可能です。

ChatGPTにターゲット層を質問する

 ChatGPTの使い方を説明するYouTubeチャンネルの、ターゲット層をいくつか教えてください。

 ChatGPTは、多様なターゲット層に対して有用なツールとなります。YouTubeチャンネルのターゲット層として考えられるいくつかの例を以下に挙げます。

1. プログラマーや開発者: ChatGPTはコーディングのサポートやプログラミングの質問に答えるのに役立ちます。プログラムの解説やアルゴリズムの説明、プログラミング言語の紹介などが対象となります。

2. 学生や研究者: 学習支援として、学校の科目や研究分野の内容の解説、論文の要約や調査結果の解釈、学習テクニックやスキルの向上方法などが対象です。

3. 起業家やビジネスオーナー: ビジネス戦略の相談、マーケティングアイデアの提案、〇〇の改善策など、ビジネスに関連する幅

やりたい内容を書き、チャンネルのターゲットについてアドバイスをもらえる。「ターゲット層をいくつか教えてください」と入力すると、多角的な視野で、ターゲット層が生成された。自分がやりたい企画に合わせてターゲットを絞っていこう。

音楽などの〇〇〇〇ーションの提供〇〇〇語彙の理解、異文化理解に関する質

さまざまな角度からの意見ですね。

実際に動画をつくりはじめる前に、ターゲット層をどこに絞るべきなのかといった相談をしたり、配信するコンテンツのアイデアを生成してもらったりするのがおすすめの活用法です。個性のある提案はできないものの、チャンネルの大枠を固めることができるでしょう。そのアドバイスをもとにブランディングを考えることで、収益化のチャンスが広がります。

企画のアイデアを考えてもらう

 あなたはYouTuberです。以下の指示に従って、動画の内容のアイデアを簡潔に教えてください。
・ターゲットはChatGPTに興味がある初心者
・動画の長さは15分程度 ◀
・動画の内容はChatGPTの基本的な使い方

> 現時点で考えているテーマやターゲットを入力し、企画案を生成してもらうことができる。箇条書きで条件を書き出すとわかりやすいだろう。動画の企画案が生成され、これをもとに動画づくりを進めることが可能だ。

タイトル：「ChatGPTの基本的な使い方 | 初心者向けガイド」

動画概要：
この動画では、ChatGPTに興味がある初心者向けに、基本的な使い方を分かりやすく解説します。ChatGPTはOpenAIが開発したAI言語モデルで、様々な用途に活用できます。私たちの15分の動画で、以下の内容をカバーします：

1. ChatGPTの概要とは何か
2. アクセス方法と利用可能なプラットフォーム
3. 簡単な使い方ガイドライン
4. 文章生成の実演例
5. 質問応答機能のデモ
6. ChatGPTの利点と注意点

この動画を通じて、ChatGPTの基本的な操作について理解していただけるよう、わかりやすく解説します。初心者の方でも、簡単に使い始めることができるようサポートします！

> すぐに概要が出てきて動画づくりの方向性が決めやすいね！

06 動画のタイトルとサムネイルを提案してもらう

視聴者に「見たい！」と直感的に思わせるタイトルとサムネイルは、ChatGPTにサポートしてもらうとラクに作成できます。

動画の再生数を伸ばすに当たって、効果的な**タイトル**や**サムネイル**はとても重要なポイントです。視聴者がコンテンツを「見たい」と感じるかどうかの最初のきっかけになります。**また、それらを使って動画の内容を端的に伝えることができる**と、動画を最後まで見てくれる人の数が増加するというメリットもあります。

タイトル案を提案してもらう

> あなたはYouTuberです。次の情報に基づいて、おすすめのタイトルを提案してください。
> ・ジャンルはChatGPT、AI、IT
> ・ターゲットはChatGPTに興味がある初心者
> ・主な内容はChatGPTの活用法
> ・インパクトを重視する

> 【タイトル提案】
> 「初心者向けChatGPT活用法：AIの魔法を手軽に使いこなそう！」
> 「ChatGPT完全ガイド：初心者でもできるAIのスーパーパワ
> 「ChatGPT入門：未来のAIを手軽に体験してみよ
> 「驚きのAI！初心者向けChatGPT活用方法を大
> 「AIの新たな可能性を発見！ChatGPTを使いこな

指定した通り、インパクトのあるタイトル案が生成されましたね！自分で考える手間が省けるのがいいですね……！

いいタイトルをつくるために、ジャンルやターゲット、主な内容、スタイルなど、詳しい情報を入れるとより希望に合うタイトル案が生成される。スタイルはほかにも「シンプル」や「見てみたくなる」「面白い」のようなものが考えられる。

ChatGPTに動画タイトルを質問すると、内容に沿ったタイトル案が複数生成されます。このとき、**指示により多くの制約条件を盛り込むことを意識しましょう。**またサムネイル案を質問すると、背景の色味や文字の色、キャプションの内容や位置など、細かな場所まで文章を生成してくれます。必要な要素を踏まえた大枠ができるので、さらに工夫を加えることが大切です。

動画に合ったサムネイル案を提示してもらう

も　ChatGPTをテーマにYouTubeチャンネルをつくります。「AI未来の扉を開けよう！ChatGPTの魅力と活用術」というタイトルの動画の、サムネイルを提案してください。

以下のようなサムネイルの提案をお送りします：

1. 背景は宇宙のイメージで、銀河が広がっているようなデザインを使用します。ChatGPTのロゴが中央に配置され、その周りには未来的な光線が放射状に広がっています。
2. 背景はハイテクな都市風景で、未来の街並みが広がっているようなイメージを使用します。ChatGPTのロゴが中央に配置され、周りにはAIの回路やデジタルなエフェクトが流れています。
3. 背景は抽象的なデジタルアートで、色とりどりの光やパターンが組み合わさっています。ChatGPTのロゴが目立つ位置に配置され、周りにはAIに関連するシンボルやアイコンが配置されています。

どの提案も未来的で魅力的なサムネイルとなるよう工夫しています。チャンネルのコンセプトに合わせて選んでいただければ幸いです。

ChatGPTは、画像生成はできませんが、画像のイメージについて文章でアイデアを生成してくれるんですね！

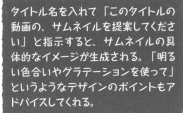

タイトル名を入れて「このタイトルの動画の、サムネイルを提案してください」と指示すると、サムネイルの具体的なイメージが生成される。「明るい色合いやグラデーションを使って」というようなデザインのポイントもアドバイスしてくれる。

07

YouTube 動画の台本の 下書きを書いてもらう

YouTube 動画の大まかな構成や台本づくりを ChatGPT に任せてみようという動きが広まっています。

YouTube 用の**構成**やシナリオを構築することも、ChatGPT の得意分野の 1 つ。前ページで作成したタイトルを入力し、動画の中身を生成することができます。**盛り込みたい内容やつくりたい動画の尺、形式のほかにも、登場人物やその人数、性格や口癖も進行の仕方等の指示を反映して生成してくれるので、シナリオライター顔負けの仕上がりが期待できます。**

目次と台本を簡単につくる

も ChatGPTをテーマにYouTubeチャンネルをつくります。「AI未来の扉を開けよう！ChatGPTの魅力と活用術」というタイトルの動画の、目次とトークスクリプトをつくってください。

【動画タイトル：AI未来の扉を開けよう！ChatGPTの魅力と活用術】

【目次】

1. イントロダクション
2. ChatGPTとは？ - その仕組みと概要
3. ChatGPTの魅力 - なぜ注目されているのか？

【トークスクリプト】

[1. イントロダクション]

挨拶と導入：
（笑顔でカメラに向かって）こんにちは、みなさん！[あなたの名前]です。今日はAI未来の扉を開けるための特別な動画をお届けします。そうです、AIのChatGPTについて深堀りしていきましょう！

> 「「○○（タイトル名）」目次とトークスクリプトをつくってください」と入力するだけで、動画の大まかな構成と、簡単な台本がすぐに生成された。これをこのまま活用してもいいし、自分でアレンジして調整も可能。

また、一度提案された**台本**に対して、さらに深掘りしたい箇所に質問を加えてみたり、言い換えてほしい箇所を指定したりすることで、より中身のある台本を作成することが可能になります。人間の手で手直しやファクトチェック、最新情報の追加は行う必要があるものの、大幅な時短とコストの削減が実現できるでしょう。

動画の説明文をつくる

 ChatGPTをテーマにYouTubeチャンネルをつくります。「AI未来の扉を開けよう！ ChatGPTの魅力と活用術」というタイトルの、動画の説明文をつくってください。

タイトル: AI未来の扉を開けよう！ChatGPTの魅力と活用術

説明文:
こんにちは皆さん！このチャンネルでは、AI未来の扉を開くための〇〇を探求していきます。AIの進化は、私たちの生活やビジネスに革〇〇〇〇の中でも特に注目すべき存在が「ChatGPT」です。

ChatGPTは、OpenAIが開発した次世代の言語モデルで、人間〇〇対話を行い、知識や情報を提供することができます。本チャンネルでは、ChatGPTの素晴らしい機能や魅力を徹底解説し、その活用術についても深く掘り下げていきます。

> 同じくタイトル名を入力し、「動画の説明文をつくってください」と指示するだけで、動画の説明文のサンプルが生成された。動画のポイントを押さえて説明してもらえるため、有効活用するといいだろう。

 この動画のハッシュタグを10個作成してください。

> ハッシュタグを作成したい場合は「ハッシュタグを●個つくって」と指示すればOK。説明文の補足として作成しておこう。

了解しました。では、以下に10個のハッシュタグを作成します：

#ChatGPT #AI未来の扉 #人工知能 #自然な対話 #AI活用術 #テクノロジー革命 #人間とAIの共存 #AI倫理 #ビジネスの未来 #OpenAI

これらのハッシュタグを使用して動画の説明文やSNS投〇〇〇で、関連する視聴者にアクセスしやすくなります〇〇て、より多くの人々にAI未来の扉を開く方法〇〇いて知ってもらえることを願っています。

> 説明文の作成や、ハッシュタグで悩む時間が各段に減りますね！

さらに役に立つ
プロンプトの活用術

ここでは、本編で紹介できなかった
プロンプトの活用例を紹介します。

① 副業を選ぶためのアドバイスを生成させる

 あなたは副業コンサルタントです。新しく副業を始めたいです。私についての下記の情報をもとに、何を副業にするとよいか、3つ教えてください。

【興味があること】
・旅行の趣味を活かしたい
【得意なことや経験スキル】
・現在、アパレル販売員をしています。
・商品の説明をしたり、コーディネートの提案が好きです。
【利用可能な時間】
・1日に約2時間
【収入目標】
・月に20万

 あなたの興味、得意なこと、利用可能な時間、収入目標を考慮して、以下の3つの副業アイデアを提案します：

POINT

自分の情報を具体的に提供するために、「興味があること」「得意なことや経験スキル」「利用可能な時間」「収入目標」などの項目を入力しましょう。関心や目的を具体的にすればするほど、自分に合う仕事が見つかる可能性が高まります。

② 悩みや不安を相談する

も 仕事がなかなか覚えられません。メモを取っていても何度も同じことを聞いてしまい上司に注意されます。自分はどうしてこんなにダメなんだろうと自己嫌悪が止まりません。どうしたらいいですか。

⑤ 仕事の覚えが悪く、同じことを繰り返してしまうことは、誰にでも起こることです。自己嫌悪に陥るのは自然な感情ですが、そのような状況から抜け出すためにいくつかのアドバイスをお伝えします：

1. 自分を責めないでください：誰でも失敗やミスをすることがあります。自分を責めても解決にはなりません。まずは自己を受け入れることか

POINT

悩みに関する背景情報を具体的に書き込みましょう。ChatGPT がより的確なアドバイスを生成することができます。関連する事実や過去の経験についても共有するとさらにいいでしょう。また、自分が感じていることなども説明することで、問題の本質が ChatGPT に伝わりやすくなります。

③ 部下を注意するメール文をつくる

も 部下に注意するメール文をつくってください。相手を傷つけないよう優しい言い回しに。内容は、一度注意されたことを繰り返すな、もう少し自分で考えて行動してほしい、です。手紙のようなかたい文章になりすぎないように。

⑤ Subject: ご協力のお願いとお知らせ

拝啓、〇〇さん（部下の名前）、

まず初めに、いつもお仕事を頑張っていただき、ありがとうございます。皆さんの協力があってこそ、チームが成り立ち、業務がスムーズに進んでいることを心から感謝しております。

さて、前回の面談時に少しお話させていただいた

POINT

相手に注意するとき、どうやったらうまく伝わるか悩みどころです。相手のタイプや性格を考えて、どういったメールがいいかニュアンスを記入しましょう。また、何を注意したいのかといった内容を書き込めば、それに合わせた文章が生成されます。内容は、端的になっても問題ありません。

Chapter

8

ChatGPT
mirudake notes

日常で使える!
ChatGPTの
楽しい使い方

ChatGPT は、文章作成やビジネス以外にも、イラストや小説など創作活動や、クイズやレシピづくりなどの趣味や暮らしに役立つ使い方も可能です。この章では、今注目されている生成 AI や、物語や詩のつくり方について解説します。

01 ChatGPTで画像生成AI をより便利に活用できる

自動で絵を描いてくれる画像生成AIに、ChatGPTを組み合わせることで利便性を上げることができます。

文章だけでなく、絵を自動でつくることができる「**画像生成AI**」も近年登場し、注目を浴びています。これは絵の内容やイメージ、タッチなどをプロンプトに入力することによって、数秒で絵が描けるというもの。膨大な時間を必要とする作業が瞬時にできること、修正もすぐに行えることなどから、さまざまなシーンで活用がはじまっています。

画像生成AIとは？

画像生成AIはプロンプトをもとに画像をつくり出すサービスのことで、さまざまな分野で応用されている。

「海賊の服を着た猫」というテーマのプロンプトを入れたらこのようなイラストができ上がりました！

176

一方、画像生成AIのデメリットはプロンプトを英語で入力する必要がある点。特に日本では使いこなせる人が多くないのが実情です。そんなときに便利なのが、ChatGPTと組み合わせて使うこと。**絵を使う用途やイメージなどを含めて、画像生成AIに指示するプロンプトを質問することで、自分の求める絵をより効率よく生成することができます。**

ChatGPTで英語のプロンプトを作成

 画像生成AIに書いてもらうプロンプトを英語で考えてください。下記の様子を描写してください。
・海賊の服を着た猫

> 画像生成AIはプロンプトを英語で入力する必要がある。そのため、「プロンプトを英語で考えてください。」と入力する。

Title: "Pirate Cat in Swashbuckling Attire"

Description:

Create an image of a mischievous cat dressed in the garb of a swashbuckling pirate. The cat should be depicted with a confident and daring expression, as if ready for a thrilling adventure on the high seas. The pirate outfit should include a tattered tricorn hat adorned with a feather, an eye patch covering one eye, and a stylish bandana wrapped around the cat's neck. The cat should be wearing a vest or jacket with gold trimmings, reminiscent of a captain's attire, and a belt

> 英文のプロンプトが生成された。すべてコピーし、画像生成AIのプロンプトにそのまま貼り付けると、指定したパターンの数のイラストが生成される。

 簡単にイラストがつくれましたね！

02 ChatGPTで ストーリーをつくる

物語創作のアイデアを得たいとき、執筆にいきづまったときにもChatGPTを活用することができます。

ChatGPTは物語を書くときにも活用することができます。例えばライトノベルを書くときには「あなたはプロのライトノベル作家です」といった役割を与え、さらに「流行りそうな面白いラブコメのストーリーを教えてください」と伝えると、指示の意図に合った**プロット**が生成されます。**創作にいきづまったときのアイデア出しとして使うのもおすすめです。**

ストーリーのアイデアを出す

 あなたはプロのライトノベル作家です。以下の指示に従って、ストーリーを考えてください。
・今時流行りそうな面白いラブコメの内容にすること
・ターゲット層は10代、20代の女性

> 「プロのライトノベル作家」という役割を与えてストーリーのアイデアを出す。ジャンルやテーマなどざっくりとした指示でOK。

タイトル:『シークレット・メッセージ』

ある日、平凡な女子高生・藤崎こころは、学校の机の中で見つけた古びた手紙を発見します。その手紙には巧妙に書かれた謎めいたメッセージが記されていました。差出人は不明で、こころは興味津々になりながらも、何か重要な秘密を知られたくないという気持ちも芽生えます。

やがて、彼女は手紙の差出人が同じ学校のクラスメイトであるこ〜〜
しかも、手紙の内容は日々の出来事や学校生活に関するもので〜〜
いや謎めいた質問が混ざっているようです。こころは、その差出人が自分のことを知っているのかと、少しずつ気になり始めます。

> ちゃんとしたストーリーになりました!

そんな中、こころは学校でとある事件に巻き込まれることになります。彼女の大切なものが何者かによって盗まれたのです。やがて事件が解決されると、こころの机

ストーリーに深みを出す

● 気になる部分を質問する

> も 「謎めいたメッセージ」について詳しく教えてください。

さらに内容を深めたい箇所は追加で質問することで、必要な要素や考えるポイントを生成してくれる。内容がより濃密になっていき、ストーリーが形づくられていく。

> ⑨ 「謎めいたメッセージ」とは、主人公である藤崎こころが学校 手紙の内容を指します。この手紙は、巧妙に書かれており、何者かによって意図的に謎めいた表現が使われています。以下は、謎めいたメッセージの特徴や内容についての詳細です。
>
> 1. 匿名の差出人: 手紙の差出人は不明で、名前や署名などが一切記されていません。これにより、主人公こころや読者は差出人の正体を知ることができず、物語が進むにつれて差出人の謎解きが重要な要素となります。
> 2. 日常の出来事と謎めいた内容の組み合わせ: 手紙には主人公の日常の出来事や学校生活に関することが綴られていますが、そこには時折謎めいた質問やからかいのような要素も混ざっています。これにより、こころや読者は差出人の意

● クライマックスを考える

ストーリーの結末についても、アイデアを聞くことができる。ストーリーをつくるうえでもゴールを設定することは重要だ。アイデアをいくつか出して決めていくのもいいだろう。

> も クライマックスはどのようなものがいいですか?

> ⑨ クライマックスは、読者の心を大きく揺さぶり、物語の緊張 高める部分です。10代や20代の女性をターゲットとしたラブコメの場合、以下のような要素を盛り込んだクライマックスが効果的で面白いと考えられます:
>
> 1. 愛の告白: クライマックスでは、手紙の差出人がついに正体を明かし、主人公こころに対して素直な気持ちを打ち明ける場面があると良いでしょう。これにより、読者は主人公と差出人の恋愛模様に胸が熱くなります。
> 2. 謎解きの真相: 手紙の謎めいた内容に隠された真相が明らかになる瞬間も重要です。差出人がなぜ手紙を送り続けたのか、何が彼らを主人公に引き寄せたのか、これらの謎が一気に解明される場面は読者に大きな感動を与えること
>
> ⚋クスでは、主人公や仲間たちがそれぞれ成長 ⚋姿が描かれると良いです。成長したキャラクタ ⚋影響を与える場面を用意することで、感動的な

> ChatGPTを相棒にして
> 面白いストーリーを
> つくっていきましょう!

03 ストーリーの舞台設定や キャラクターを考える

物語への没入感を高めるうえで欠かせない要素も ChatGPT を使ってアイデアを得ることができます。

小説を書くうえで欠かせないのが、**舞台**や**登場人物**の設定です。これらを決めるときにも、ChatGPT が多くのアイデアを生成してくれます。例えばラブコメを書きたいとき、「ラブコメ小説の舞台設定を教えてください」と質問すれば、物語が繰り広げられる時代や場所、社会のあり方などをわずか数秒で生成してくれます。

舞台設定を提案してもらう

> も サスペンス小説の舞台設定のアイデアを 5 つ教えてください。
>
> もちろん、サスペンス小説の舞台設定のアイデアを 5 つご紹介します。これらは様々な舞台で緊張感を高め、読者を引き込むことができるものです。
>
> 1. **沈没船の発見**
>   舞台は深海探査が行われている海域で、突然、数世紀前に沈没したとされる幻の船が発見されます。主人公は調査チームの一員として参加し、船には不思議なアーティファクトや怪奇的な出来事が待ち受けていることを発見します。しかし、それに伴って不可解な事件が発生し、チームのメンバーが次々と消えて
> 2. いきます。
>   **孤島の廃墟ホテル**
>   孤島にある廃墟リゾートホテルが舞台です。長らく物語主人公は不気味な島
> 3. の過去が隠されており、の狂気と戦わねばなりません。
>   **未来都市の犯罪捜査**
>   科学技術が進化した未来の都市が舞台です。主人公は

 気になった舞台設定を選んで深掘りしましょう！

テーマを提示し、「舞台設定のアイデアを教えて」と入力すると、さまざまな設定が生成される。自分では思い浮かばなかった設定が数多く出てくる可能性が高い。

また、物語の中に生きている人物の属性や性格、関係性も生成してくれます。確率の高い単語を羅列していることからオリジナリティにはやや欠けますが、**物語を進めていくうえで必要な要素をカバーした人物たちが生成されます。** 実際に創作をする際には、このアイデアを土台として、読者が魅力を感じる要素を肉づけしていくことがおすすめです。

登場人物を生成してもらう

> も　登場人物のアイデアを教えてください。

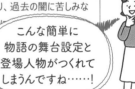

先ほど提示した舞台設定に合った登場人物を生成してもらうことが可能。「登場人物のアイデアを教えて」と入力すると、名前や特徴も合わせキャラクターが生成される。

> 🟢　もちろん、サスペンス小説に登場する興味深いキャラクター〇
> 紹介します。これらのキャラクターは物語に深みと興味を与
> う。
>
> 1. **元刑事の孤独な探偵**
>   彼はかつて優秀な刑事だったが、ある事件をきっかけに警察を辞め、探偵に転身した人物です。人目を忍んで孤独な日々を送っており、過去の闇に苦しみながらも、卓越した推理力や洞察力を持って事件の真相に
>   の過去と向き合いながら、物語の謎解きの鍵を握る

こんな簡単に
物語の舞台設定と
登場人物がつくれて
しまうんですね……！

> も　1の元刑事の孤独な探偵について、生い立ちや性格など詳しく教えてください。

ここからさらに人物の生い立ちや性格について詳しくアイデアを聞くことで、物語の展開やオリジナルのアイデアに役立つ。

> 🟢　元刑事の孤独な探偵として、以下のような生い立ちや性格を
>
> **名前:** 沢木信太郎（さわきしんたろう）
>
> **生い立ち:**
> 信太郎は、幼少期から正義感に溢れる性格でした。家族は貧しいが愛情深く、困難な状況でも互いに支え合って生きていました。父親が地元の警察署で巡査として勤務していたため、信太郎は父親の姿を尊敬していました。父の影響で、彼は将来は刑事になることを夢見ていました。
>
> しかし、高校卒業後、彼は父親が遺した家族のために働くことを選び、大学に

04 希望する文体で 詩をつくる

ChatGPT は文字数や形式に指定のある場合でも対応できる
ため、詩を書くときに活用することもできます。

ChatGPT は詩を書くときにも活用できます。テーマやタイトルを決めると
ころからアイデアを提案したり、**詩の形式**を指定して実際に書いたりするこ
とも可能です。**例えば「シェイクスピアのような文体で」と指示を出すだけでも、**
意図をくみ取った回答を生成してくれます。書き方に迷ったときやアイデアが
浮かばないときの心強い味方になるといえるでしょう。

かっこいい詩をつくる

 夏をテーマに、シェイクスピアのような文体の詩をつくってください。

「シェイクスピアのよう
な文体」といった指示
の仕方でも、的確な答
えが返ってくる。

夏の陽が燦然と輝きゆくように、
緑豊かな大地が笑い踊る季節よ。
シェイクスピアの筆にならいて、詩を紡ぐ。

太陽の輝き、その熱烈なる光は、
大地を温め、心にも満ちる喜びをもたらす。
天の蒼穹には、雲の舞が繰り広げられている。
それはまるで、愛の戯れであるかのように。

野の花々は、優美な姿をそなえて踊り出す。
微風に揺れる彼らの姿は、詩の一節のように美しく、
その香りは心に深く沁み込む。

海の波が岸辺に寄せる様に、
潮騒が耳をくすぐる。
幾千の粒、砂となってここに集い、
太陽の熱がその胸を焦がす。

イメージが
わかないときに
便利です。

クオリティの
高い答えが
返ってきます……！

世界中のニュースを ざっくりと把握する

多言語に対応している ChatGPT の利点を利用して、より効率よく最新のニュースを知ることができます。

ChatGPT（無料版）は 2022 年 1 月までのデータしか持っていないため、基本的に最新のニュースを提示することはできません。ただし、**翻訳機能**を使って世界中のニュース記事を日本語で読むことは可能です。**海外の記事を貼り付けて翻訳を読むことはもちろん、指定文字数に要約してもらうこともできます。** より効率よく情報収集できる、ChatGPT の使い方の 1 つです。

世界のニュース記事を読む

 以下のテキストをわかりやすい日本語で300字程度にまとめてください。
Officer's use of weapon was not lawful - prosecutor
Nanterre's public prosecutor continues his statement by saying that the policeman involved in the incident said he shot Nahel to stop him from driving off and continuing to put pedestrians in danger.

公式文書によれば、警察官の武器使用は違法であったとのこと。ナンテール地方検事は声明の中で、事件に関与した警察官が、ナヘルを車から逃走し、歩行者を危険にさらすのを止めるために発砲したと述べたと述べています。

逃げる際に車に近づいており、轢かれるのを恐れたと話してい……ナヘルが腕と胸を貫通する1発の銃弾で死亡していることが

……は、武器の使用が適法でなかったと結論づけたとのことです。

……氏は、警官……です。

One point

有料版 ChatGPT は URL だけでも記事を翻訳し要約してくれます。しかし現段階では URL が読み込めないエラーが発生することも多いため、テキストを直接挿入するのが確実でしょう。

他言語で書かれたニュース記事をコピー＆ペーストし、「日本語で300文字程度に」と要約する指示を出す。書かれている内容をすぐに知ることができる。

（https://www.bbc.com/news/live/world-europe-66049895 より）

8
日常で使える！ ChatGPTの楽しい使い方

クイズを出題して遊ぶ

ChatGPT は膨大なデータを組み合わせて問題を生成できることから、勉強にも娯楽にも活用できます。

たわいもない会話も楽しめる ChatGPT。質問に答えるだけではなく、**クイズ**を作成することもできます。例えば「世界遺産にまつわるクイズを3問出して」といったお題や、「**なぞなぞ**を出して」といったお題にも対応できます。**テストや資格勉強のお供として活用したり、空いた時間の話し相手として使ったりできる活用法です。**

問題を出題してもらう

 徳川家康に関する問題を、以下の指示に従って出してください。
・問題は3問出すこと
・すべて4択の選択問題にすること
・最後に答えをまとめること

> 条件を出して、テーマについて問題を生成してもらおう。勉強するときに知識の答え合わせができる。

🌀 問題1:
徳川家康は日本の歴史上、どの時代に活躍した人物でしょうか？
a) 平安時代
b) 戦国時代
c) 室町時代
d) 江戸時代

問題2:
徳川家康が最初に築いたとされる城はどれですか？
a) 金沢城
b) 高知城
c) 駿府城
d) 大坂城

問題3:
徳川家康が江戸幕府を開いた年はいつですか？

> 簡単なお題やなぞなぞを出してもらえば親子で楽しむこともできますね！

07 レシピや献立の アイデアを出してもらう

膨大なデータを活用できる ChatGPT には食の情報も豊富で、
さまざまな条件に適したレシピを提案してくれます。

食事の**献立**に困ったときにも、ChatGPT は役立ちます。「あなたは家庭料理
に詳しい料理人です」といった役割を与え、カロリーや使いたい食材、和食
か洋食かなどを指示することで、すぐに**レシピ**を生成してくれます。**料理の
レパートリーを広げたいときやダイエットに適した食事を摂りたいときなどに役立
つ使い方です。**

栄養管理士としてレシピを提案

 あなたは家庭料理が得意な栄養管理士です。以下の条件に従ってレシピを教
えてください。
・500キロカロリー以下にすること
・洋食にすること
・玉ねぎと卵を使うこと

> 「栄養管理士」という役割を与
> え、カロリー、テイスト、使い
> たい食材を条件に設定する。

500キロカロリー以下の洋食レシピとして、「玉ねぎと卵のオムレツ」をご紹介しま
す。栄養バランスを考慮し、おいしくヘルシーな料理を作りましょう。

【玉ねぎと卵のオムレツ】

（2人分）

材料：

・玉ねぎ：1個（中サイズ）

・卵：4個

・低脂肪の牛乳：2大さじ

・塩：少々

・黒こしょう：少々

> ChatGPTが生成する
> 数字には誤りがある場合も。
> 糖質や塩分の摂取制限をしている人は、
> 一度レシピに含まれる栄養素を
> 確認するのがおすすめです。

勉強に役立つ プロンプトの活用術

ここでは、本編で紹介できなかった
プロンプトの活用例を紹介します。

① 学習スケジュールを作成する

> も 3ヵ月後にTOEICの試験があります。私の今の点数は400点くらいですが、600点に点数を上げたいです。勉強のスケジュールを立ててください。

> TOEICの試験を3ヵ月後に受けるための勉強スケジュールを立てましょう。600点を目指すためには計画的な学習が必要です。以下は、週に1回の試験対策を含む勉強スケジュールの例ですが、個々のペースや学習スタイルに合わせて調整してください。
>
> 第1週から第4週：基礎学習と文法
>
> * 週に5日間、毎日30分〜1時間の学習を行います。
> * リスニングとリーディングの基礎を固めるために、TOEIC対策のテキストや問題集を使用します。

POINT

勉強の計画を立てるときは、ChatGPT にスケジュールを立ててもらうことができます。例えばTOEIC試験を受験する場合、どれくらい点数を上げたいかなど目標を提示すると、より具体的なプランが生成されます。1日ごとのタイムスケジュールも生成してくれます。

② 概要をストーリーで教えてもらう

も 日本史の「大坂の陣」について、歴史を学べるような脚本を書いてください。

⑨ タイトル: 大坂の陣 - 日本史の激動を織り交ぜたドラマ

（舞台は17世紀初頭の日本、大坂城周辺）

登場人物:

- 徳川家康（東軍の総大将）
- 石田三成（西軍の総大将）
- 大阪の市民たち

第1幕: 背景と緊張の高まり

POINT

歴史などの難しい内容を覚えるときは、ストーリー形式で学んだほうが頭に入りやすいでしょう。「脚本を書いてください」を指示を出すことで、簡単に物語を生成してくれます。さらに続けて、登場人物や舞台などを指定してもいいでしょう。

③ 外国語のスピーキングを練習する

も 英会話の練習として、道案内の場面で使える雑談用の英会話を作成してください。

⑨ 道案内の場面で使える雑談用の英会話を以下に示します。あなたが観光客であり、道を尋ねる相手が地元の人という設定です。

観光客（You）: Excuse me, could you help me find the nearest tourist attraction?

地元の人（Local）: Of course! I'd be happy to help. Which tourist attraction are you looking for?

You: I'm trying to find the famous museum that

POINT

外国語の習得に欠かせないスピーキングも、ChatGPT で「〜の場面で使える英文をつくって」と指示すれば、練習用の会話文が生成されます。話題のテーマや、状況など細かいシチュエーションを指定すれば、さらに精度が高い会話文を生成してもらえます。

◎ 主要参考文献

『図解ポケット 画像生成 AI がよくわかる本』
松村雄太 監修・田中秀弥 著（秀和システム）

『ChatGPT120％活用術』
ChatGPT ビジネス研究会 著（宝島社）

『ChatGPT の衝撃 AI が教える AI の使い方』
矢内東紀 著（実業之日本社）

『ChatGPT 仕事術革命』
週刊東洋経済 2023 年 4/22 号（東洋経済新報社）

『先読み！ IT × ビジネス講座 ChatGPT 対話型 AI が生み出す未来』
古川渉一、酒井真理子 著（インプレス）

『仕事 勉強 生活をもっと楽しく エンジニアじゃない人のための ChatGPT 超入門』
日本ビジネス研究会 編集（日本ビジネス出版）

『ChatGPT 完全攻略』
週刊ダイヤモンド 2023 年 6/10・6/17 合併号（ダイヤモンド社）

『完全図解 ChatGPT 仕事術大全』
PRESIDENT 2023 年 6/30 号（プレジデント社）

『ずるい！ ChatGPT 仕事術』
日経トレンディ 2023 年 7 月号（日経 BP）

ほか、数多くの資料を参考にさせて頂きました。

🌐 STAFF

編集	柏もも子
編集協力	大木孝之
執筆協力	龍田 昇、三ツ森陽和
本文イラスト	しゅんぶん
カバーイラスト	ぷーたく
カバーデザイン	別府 拓（Q.design）
本文デザイン	別府 拓、奥平菜月（Q.design）

監修 松村雄太（まつむら ゆうた）

Web3総合研究所代表。早稲田大学招聘研究員。NFT、メタバース、生成AIなどについて学べるコミュニティを主宰。埼玉県立浦和高校、早稲田大学商学部卒。新卒で外資系IT企業に入社し、1年間のインド勤務を経験。その後、外資系コンサルティングファームを経て、メディア系ベンチャー企業にて日本の大手企業向けに、国内外のスタートアップやテクノロジートレンドのリサーチ・レポート作成を担当。近年はWeb3、メタバース、生成AIに注目し、書籍の執筆や監修、講座の作成や監修、講演、寄稿などの活動に力を入れている。著書に『NFTがよくわかる本』『メタバースがよくわかる本』『DAOがよくわかる本』（以上、秀和システム）、『一歩目からのブロックチェーンとWeb3サービス入門』（マイナビ出版）、監修書に『画像生成AIがよくわかる本』『Web3がよくわかる本』（以上、秀和システム）など多数。

公式メルマガ

■公式メルマガ　https://tr2wr.com/lp
■公式LINE　https://lin.ee/WPBREwF (ID: @927wtjwr)
■メールアドレス　investor.y11a@gmail.com

公式LINE

知識ゼロから2時間でわかる&使える！
ChatGPT 見るだけノート

2023年9月 1日　第1刷発行
2024年7月18日　第2刷発行

監　修　　松村雄太

発行人　　関川 誠
発行所　　株式会社 宝島社
　　　　　〒102-8388
　　　　　東京都千代田区一番町25番地
　　　　　電話　営業：03-3234-4621
　　　　　　　　編集：03-3239-0928
　　　　　https://tkj.jp

印刷・製本　サンケイ総合印刷株式会社